会食恐怖症が治るノート

—あなたのペースで食事を楽しむための実践ワークブック—

著

山口　健太

星和書店

はじめに

「誰かと一緒にごはんを食べる時に気持ち悪くなるのですが、どうすればよいでしょうか？」

そのような相談が私のところにはたくさん届きます。

そして、このように人と食事を取ることに対し、健全ではない不安や恐怖が襲ってきて、日常生活に支障をきたしている状態を「**会食恐怖症**」と言います。

「明日の食事会を想像するだけでお腹が痛くなる……」
「食べられないことを誰かに指摘されたらどうしよう……」
「手の震えを見られたら恥ずかしい……」

そういった具体的な悩みはもちろん解決したいものですし、そもそも「食事」というのは人が生きていく上で不可欠なことであり、また、人間関係における重要なコミュニケーション手段でもあります。会食恐怖症によって人との食事を妨げられることは、生きていく上で大きなハンデを背負うことになるのです。

会食恐怖症の方が深く悩んでいること

そういった背景から、

・友達付き合いや恋愛を前向きに考えられない。
・「ここのごはん美味しそう！」という何気ない日常会話にドキドキしてしまう。
・SNSでの写真、テレビのグルメ番組を見るだけで憂鬱になるから見ることができない。
・せっかくの旅行も、食事が不安で楽しめない。
・将来、こうなりたいという夢があるけれど、人との食事機会が多いことから夢を諦めてしまいそうになっている。
・相談しても「食事は楽しいもの」と多くの人が考えているため、共感してもらえることが少ない。

など、「人とごはんを食べられない」ことがきっかけで、QOL（人生の質）が大きく下がってしまうことを、当事者の方は深く悩んでいます。

私はそうした「会食恐怖症」に悩む方を、カウンセリングや講座などを通して、これまで延べ3,000人以上サポートしてきました。

実は私自身も、学生時代、この会食恐怖症に悩んだ当事者でした。ですが、悩んでいた当時は会食恐怖症に関する情報が乏しく、「よくわからない」、「それなら食べなきゃいい」と言われる始末……。

そういった現状を変えていき、当事者として現在悩んでいる方に、少しでもよくなって欲しいという思いから、カウンセリングや支援活動を始めたのです。

おかげさまで、今では昔に比べると少しずつ「会食恐怖症」の認知度は上がってきていますが、それでもまだまだ悩んでいる方は多く、少しでも必要な方に情報を届けたいと、本書を執筆させていただきました。

本書の特徴について

本書の一番の特徴は、会食恐怖症を克服する取り組みを、本書で紹介するワークなどを通して、セルフヘルプ（自分自身）で行うことで、克服していけるようにすることです。

そこには、私が普段、カウンセリングや講座などで紹介しているものの多くが含まれています。

また、現状、医師やカウンセラーの方でも、「会食恐怖症についてどうやって克服のサポートをしたらよいのかがわからない」という方がまだまだ多いので、そういった方がクライアント（患者）さんと一緒に取り組むきっかけになるなど、臨床現場での参考にもなればと考えております。

さて。

あなたは会食恐怖症を克服したら、どんな時間を楽しみたいと考えますか？

本書は、そのあなたの願う理想の未来へと導くためのものです。

これから一緒に取り組んでいきましょう。

一般社団法人日本会食恐怖症克服支援協会
代表理事　山口健太

本書の使い方

毎日の中で
取り組んでほしい、
実践的な内容を
紹介しています。

あえて失敗してみる練習

「変に思われるかも？」と感じることを、できる範囲から「練習」の気持ちであえてやってみる。

前向きな考え方を一生モノにするために

1．考え方を変えるためには継続が必要

会食への苦手意識や、考え方を変えるための行動は、継続して行って
ことが大切です。最初は意識的にやることが必要になりますが、そ
継続させていけば、それがあなたにとっての自然となります。
、どうすればそういった取り組みを継続させることができるので
うか？

会食恐怖症の
克服のための
情報をお伝え
しています。

まずは無理のない範囲から、少しずつ、スモールステップで取り組むことが大切です。

たとえば、「今は勉強の成績が良くないけど、これから成績を伸ばしたい！」と思っている人が、いきなり難関大学の模擬試験を受け続けたところで、できないことだらけで嫌になるでしょうし、勉強することが嫌になってしまえば成績も伸びるわけがありません。

それよりも、今の自分に合ったレベルの問題に取り組んで、少しずつ成績を伸ばしていったほうが早いですよね。

ですから、「小さな一歩」を、まずは自分が高く評価するようにしましょう。

特に克服のために
重要な部分は
ワークとして
ピックアップして
います。

第４章　不安に強くなる考え方を身に

ここでは、以下のワークにも取り組んでみてください。

ワーク18

「できた」が拡大するためのワーク

1. まずは図 10 を 10 秒間じっと見て覚えてください。しっかりとストップウォッチなどで時間を計ってくださいね！
（1 をやる前にその次のページにはいかないでください）

図10

目次

ワーク・実践一覧

第1章

会食恐怖症とは？

会食に健全ではない強い不安を感じる？

本書は、「会食恐怖症を治す」をテーマにした内容となります。もしかすると、あなたは既に「会食恐怖症」のことをよくご存知かもしれませんが、まず最初に「会食恐怖症とはどういうものか？」について簡単に説明します。

本書でお伝えする「**会食恐怖症**」というのは、誰かとごはんを食べること（会食行為）に対して、健全ではない強い不安を感じ、次第にその不安を避けようとすることで、友人関係、恋愛、仕事などで何らかの支障が出てしまい、「本来あるべき健全な社会生活が脅かされている」という状態が、半年以上続いている場合のことをさします（会食恐怖症は、外食恐怖症、会食恐怖、会食不能などと呼ばれることがありますが、本書では「会食恐怖症」と統一して表記します）。

一応、今の精神医療の定義では「**社交不安症**」の１つに分類されていますが、そこで紹介される会食恐怖症は「**人に食べる行為を見られることが怖い**」という形のものがほとんどであり、それ以外のタイプもありますので、本書ではそれも含めた３つのタイプについてお伝えしていきます。

社交不安症とは、「社交機会に対して健全ではない強い不安を覚え、次第にその不安を避けようとすることで、本来あるべき社会生活が脅かされる精神的な疾患」であり、その期間が半年以上続くと診断されるというのが一般的です。

ちなみに、会食恐怖症以外の社交不安症としては、スピーチ恐怖、電話恐怖、赤面恐怖、腹鳴恐怖、書痙（しょけい）など、さまざまなものがあります。

本書はあくまで「会食恐怖症を治す」ことをテーマにしたものなので、これ以降は会食恐怖症について絞ってお伝えしていきますね。

会食恐怖症の主な症状とは？

会食恐怖症になると、実際の会食場面ではもちろん、直近の会食機会を想像しただけで、「症状」が出てしまうようになります。

具体的には、

> 吐き気、めまい、胃痛、動悸、嚥下障害（食べ物が飲み込めない）、口の乾き、体（主に首や手足）の震え、発汗、顔面蒼白、呑気（空気を飲み込んでお腹が張る、げっぷがでる、おならをしたくなる）、緘黙（黙り込んでしまう）

など、人それぞれです。

「不安」という感情自体は、生きていれば誰にでも起こり得るものですが、ここで問題なのは、会食という場面において明らかに健全ではないレベルで不安・恐怖が襲ってしまうということです。

そして、その不安や恐怖から会食を避けることで社交の機会を損失してしまい、人間関係、恋愛、仕事、将来の展望、目標達成などに支障をきたし、QOL（人生の質）が大きく低下してしまうことが、当事者の大きな悩みとなっています。

また、一般的には「誰かとごはんを食べるのは楽しいもの！」という価値観を持った人が多いため、「この悩みが周りに理解されない……」と、孤独を感じるということも、当事者の大きな悩みの１つです。

当事者は「食べたくない」わけではなく、**「食べたいという気持ちはあるのに、身体がいうことをきかずに困っている」**という状態です。また、女性の方からたまに聞くのは、「本当は食べたいのに、食べなかったことで“かわいこぶるなよ”と言われてしまった」という悩みです。

当事者に対して「もっと食べたほうがいいよ」や「そういうのは気の持ちようでしょ」という助言は、ほとんど意味がないどころか、むしろ当事者がプレッシャーを感じ、喉周りの筋肉がこわばり、もっと食べにくくなってしまいます。

会食恐怖症、発症のきっかけとは？

会食恐怖症に悩んでいる方は、どのような性別・年齢に多く、どういったきっかけがあるのでしょうか？　一般社団法人日本会食恐怖症克服支援協会がインターネット上で調査したアンケートから見ていきましょう〔回答者数合計642名（％の小数点第二位以下切り捨て）〕。

［性別］

男性：180名（28.0％）

女性：462名（71.9％）

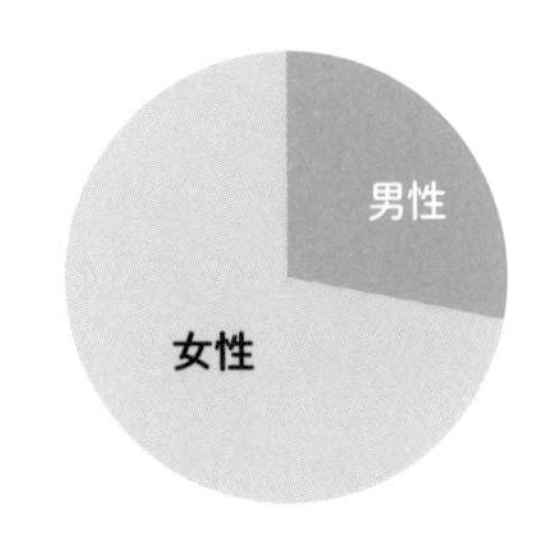

［年齢］

0～20歳：157名（24.4％）

21～30歳：282名（43.9％）

31～40歳：134名（20.8％）

41～50歳：55名（8.5％）

51歳以上：14名（2.1％）

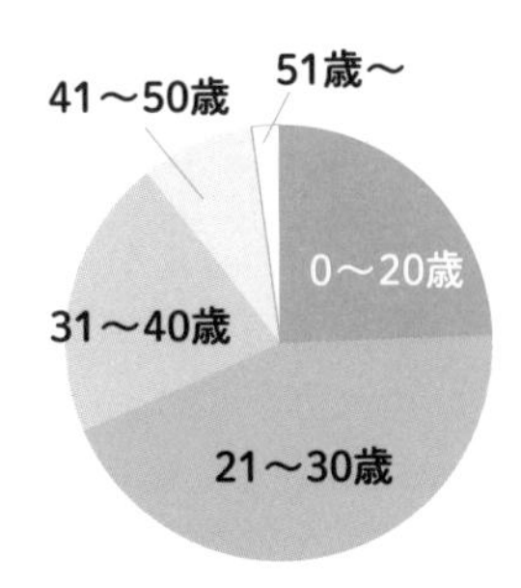

以上から、男性よりも女性が多く悩んでいること。また、インターネット上の調査という影響が少なからずあるとは思いますが、主に10～30代の方が多いと言えそうです。

次は発症のきっかけについてです。

Q1. 会食恐怖症の一番のきっかけとなったことを教えてください

・完食指導や周りからの強要：223 名（34.7%）
・その他、体調不良から：135 名（21.0%）
・明確には覚えていない：122 名（19.0%）
・自分や周りの嘔吐に関する体験：115 名（17.9%）
・周囲からの注目を浴びたことに関する体験：47 名（7.3%）

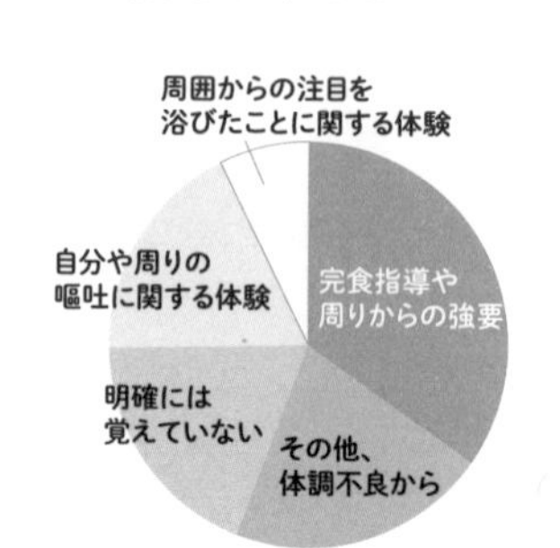

Q2. Q1 で「完食指導や周りからの強要」と答えた方へお聞きします。具体的にはどのようなシチュエーションで、誰からでしたか？

・給食で先生から：161 名（72.1%）
・家族や親戚から：32 名（14.3%）
・クラブ活動の指導者から：21 名（9.4%）
・その他：7 名（3.1%）
・恋人や友人から：2 名（0.8%）

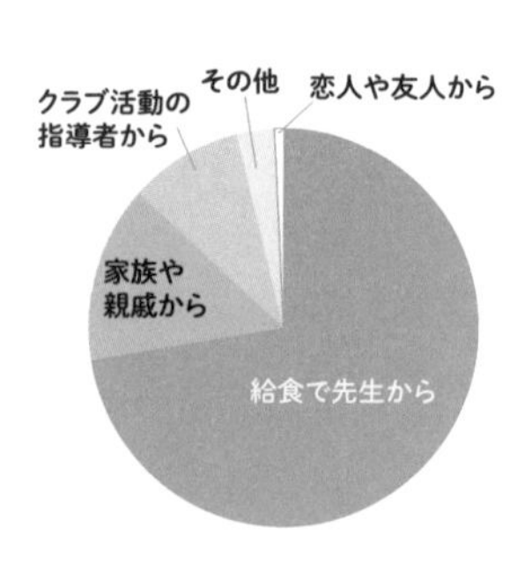

Q3. ご自身の会食恐怖症発症のきっかけに、学校給食における完食指導が関わっていると思いますか？

・はい：323 名（50.3%）
・いいえ：196 名（30.5%）
・わからない：123 名（19.1%）

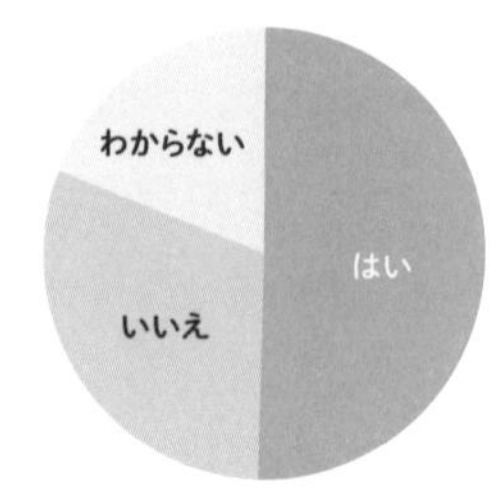

Q4.　ご自身の会食恐怖症発症のきっかけに、親からの食の強要が関わっていると思いますか？

・はい：162 名（25.2%）

・いいえ：353 名（54.9%）

・わからない：127 名（19.7%）

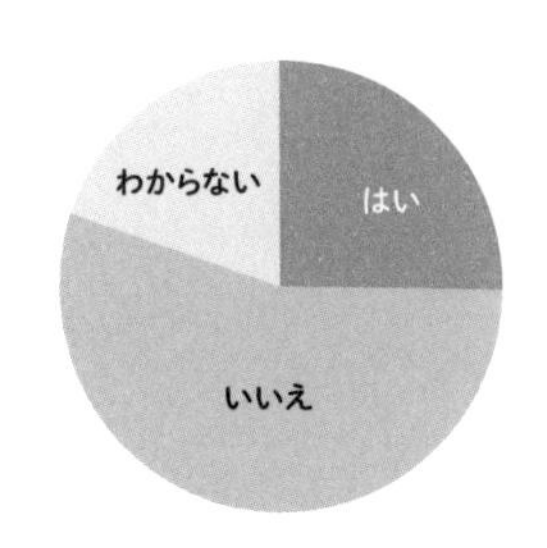

「明確に覚えていない」という方もいますが、学校給食で完食を強要されたことによって、発症したと考えている人は多いようです。

また、「親からの食の強要」に対して“はい”と答える方も意外にも多く、なかなか「食べたいという気持ちはあるけど、食べられなくて困っている」という心境は、身近な家族相手にでも理解されにくいようです。

会食恐怖症の人の心境とは？

家族や周りなどでサポートする側の場合、当事者の心境に寄り添うことで解決に導きやすくなります。

会食恐怖症の当事者の方にとっては“あるある”的な内容になりますが、その時に知っておきたいこととして、会食恐怖症の人が「言われたら嫌なこと」や「言われると安心すること」についてもお伝えします。ちなみにこちらの情報は、私の Twitter（@kaishoku123）で、当事者の方に向けて直接意見を求めた際に、集まった声を参考にしています。

まず、会食恐怖症の人が「**言われたら嫌なこと**」です。

・「それしか食べないの？」系

「それしか食べないの？」を含め、「全然減ってないよ！」や「それだけで足りるの？」といった、食べる量を少ないことを指摘されるのが嫌と、感じる人はすごく多いようです。

・「なんで食べないの？」系

「なんで食べないの？」を含め、「ダイエットでもしてるの？」、「美味しくなかった？」、「具合でも悪いの？」といった、食べていないことを追及されるのが苦しいと感じる人も多いようです。とはいえ聞いている側は、「単純にどうして食べないのかが疑問で聞いている」ことがほとんどなので、当事者は適切に相手に説明することも大切になっていきます（それについては第３章でお伝えしていきます）。

・「もっと食べないと！」系

これはイメージしやすいと思いますが、「もっと食べないと！」を含め「食べなさい！」など、周りに強要されることを苦しむ人はとても多いです。

・「もったいない！」系

「もったいない！」を含め、「作ってくれた人に悪い」や「食材に失礼」なども多かった声です。当事者としても「もったいない」という気持ちは十分にわかっているし、食べられるのなら食べたいのにもかかわらず、身体が言うことをきかずに困っているわけですから、こういった言葉には苦しみます。

・「頑張れ！」系

「頑張れ！」や、「あと一口！」、「早く食べて！」、「みんな待ってるよ！」など、食べることを応援するようなことも、プレッシャーに感じるという声が多かったです。

・勝手にノルマ設定系

これはたとえば、「みんなで１個ずつ食べよう」、「残り少しだから皆に均等に取り分けるね」のように、勝手にノルマを設定するというものです。こう言われることで「取り分けられた分をちゃんと食べなきゃ」とプレッシャーに感じてしまうのですね。

・○○な人がいい系

また「たくさん食べる人がいい」や「美味しそうに食べる人がいい」など、「○○に食べる人が良い」というようなことも、プレッシャーに感じているという声がありました。

その他、「なんで痩せないの？」、「食べないなんてわがままだ」と言われた時がショックだったなど、そういった声も挙がりました。

次は、**「言われると安心すること」**です。

・「○○でもいいよ」系

「ゆっくりでもいいよ」、「残しちゃってもいいよ」など、「○○でもいいよ」と言われると安心して、逆にいつもより食べられることが多いというものです。

・「残したら食べてあげる」系

上記に似ていますが、「残したら食べてあげるよ」と言われることで、安心するという意見も多くありました。

・「無理しないでね」系

「無理しないで、好きな分だけ食べたらいいよ」など、「無理をしないでね」という方向性のものが安心するというものがありました。

・特に何も言われない

これは食べないことに対して、特に何かを言われるわけではなく、普通に過ごせることが良いと感じるという意見です。

他にも、「持ち帰れば大丈夫だよ」、「私は気にしてないよ」など、その人の食べられないことを受け入れてあげる方向性のものが、安心するという声があがりました。

人はプレッシャーを感じることで、自律神経が乱れ、嚥下機能（飲み込む力）や消化機能が弱まり、ますます食べにくくなってしまいます。一方で、安心することで逆に食べられることが増えていきます。ですから、周りでサポートしている方は上記のような情報を参考にしてください。また、当事者の方は自分自身に対して、「安心する言葉」をかけてあげましょう。

会食恐怖症の治療法とは？

1．どんな治療・克服の方法があるの？

「会食恐怖症」の治療法としては主に、「**薬物療法**」と「**精神療法**」の2つが存在します。

簡単にそれぞれについてお伝えすると、「**薬物療法**」というのは、病院（主に心療内科や精神科）に行き、医師から処方された向精神薬を服用し、症状を抑えながら日常を過ごすという方法です。

薬を服用することですぐに、症状が抑えられる可能性がある一方で、有効率（薬が効く可能性）が100%ではないことや、副作用のリスクや依存性が高いことなどがデメリットとして挙げられます。「自分の力で良くなった」というよりも、「薬の力を借りたから良くなった」というように、精神療法に比べて、自分自身の内側の成長・変化を感じにくいという点もあります。

医師によると、薬は一般的にSSRI（「選択的セロトニン再取り込み阻害薬」という抗うつ剤の一種）を長期的に服用するか、抗不安薬を頓服（不安な時にだけ飲むという形）で服用するか、あるいは両方のどちらかが主です。「震え」などの具体的な身体症状を抑えたい場合は、β遮断薬を服用する場合もあると言います（他にも合併症がある場合、薬の量や種類が増えることもあります）。

もう一方の「**精神療法**」というのは、簡単にお伝えすると「**考え方を変えるアプローチ**」に取り組むことです。副作用のリスクや依存性などの心配がなく、「自分の力で治した」という成長を感じやすい一方で、考え方を変えるためには少し時間がかかるというデメリットがあります。

「精神療法」は、主に「**認知行動療法**」が推奨されることが多いです。認知行動療法というのは「認知の歪み（考え方）」を「具体的な行動」によって変えていくという方法です。本書でお伝えしていく克服の方法にも「認知行動療法」をベースとしているものが多くありますし、森田療法やマインドフルネス療法などの精神療法も有効とされています。

2. 会食恐怖症は長引きやすい？

「他の精神疾患は良くなったのに会食恐怖症だけ長引いてしまっている」という相談が届くことがありますが、会食恐怖症を克服するためには、とても大きなポイントがあります。その大きなポイントというのは「**誤った前提**」と言われるものです。これをしっかり理解することが克服するためにはとても大切です。

そもそも、会食を想像しただけで不安になったり、実際の会食で症状が出てしまうのは、この「誤った前提」によるものなのです（図1を参照）。

そして、会食恐怖症を克服しようと思った時に多くの方が考えるのは「会食に慣れることが大切なんだろうな」ということです。**しかし、これでは不十分なのです。**克服するためには「誤った前提」を変えるための行動を起こすことが大切です。

たとえば、「残さず食べないと、一緒に食べた人に怒られたり、嫌に思われるかもしれない」という前提を持つ方であれば、いつも会食の場面で「残さないように頑張ろう」としてしまいます。ですが、そのため

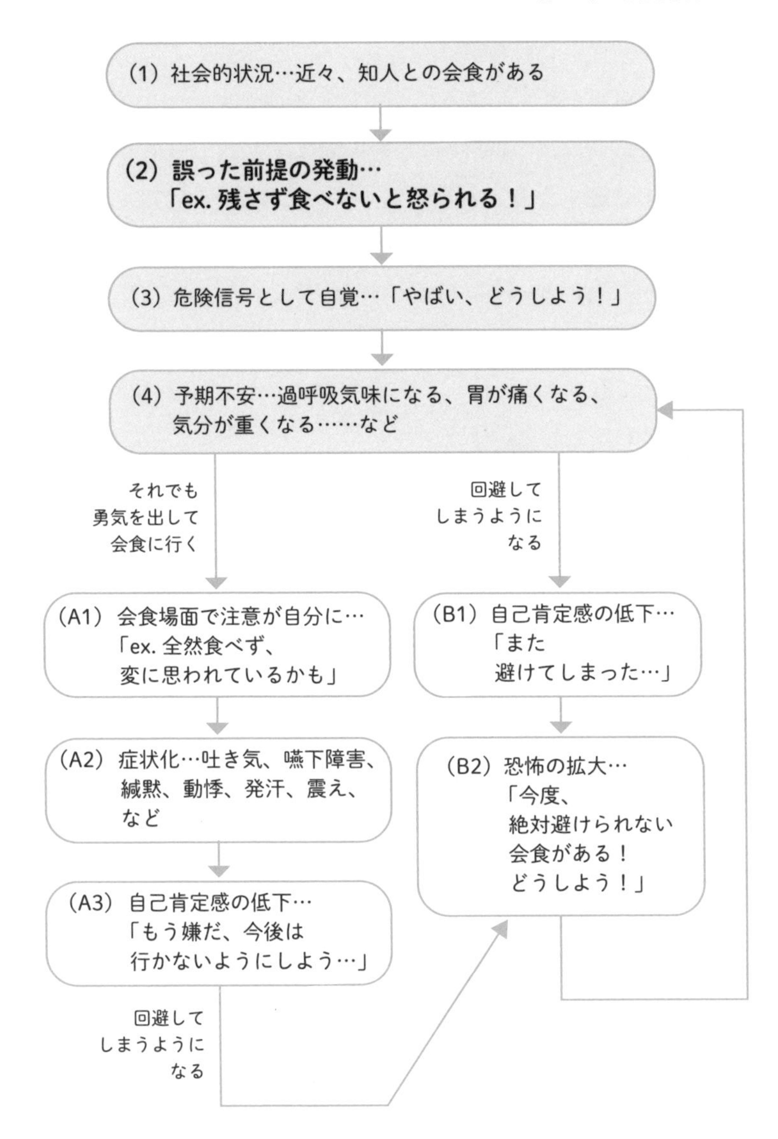

図１　会食恐怖症の発生プロセス

出典：山口健太『会食恐怖症を卒業するために私たちがやってきたこと』（内外出版社、2018）

にこれまでの前提が変わらずに、会食のたびに**「残してはいけない」**というプレッシャーで苦しむことになってしまいます。

この場合であれば、**「別に残しても大丈夫」**という前提を持てるようになるための行動をすることが大切です。具体例としては、「あえて残してみるという行動をしてみて、そこで周りの人が何もネガティブなことを言わなかった」という経験をすれば、「誤った前提」が改まるきっかけとなり、克服につながっていくと言えます。

この点はとても重要なので、後の章でワークなどを用いながら、さらにしっかりとお伝えしていきます。

会食恐怖症にはいろいろなタイプがある？

1. 会食恐怖症の３つのタイプとは

私は、会食恐怖症には大きく分けて「3つのタイプ」があると考えています。それは、**①周りに合わせなきゃタイプ**、**②吐いたらどうしようタイプ**、**③見られるのが嫌タイプ**、の3つです。それぞれのタイプによってその方が持っている「誤った前提」が違います。

①周りに合わせなきゃタイプ

「残さず食べなければいけない」、「周りのペースに合わせなければいけない」というように、周りの目や世間の価値観に合わせて食事をしなければならないと感じて、そのプレッシャーにより症状が出てしまうタイプです。

②吐いたらどうしようタイプ

「お腹いっぱい食べたら気持ち悪くなるかも？」、「みんなの前で吐いてしまったらどうしよう」など、吐いてしまうことに恐怖を感じているタイプです。

③見られるのが嫌タイプ

他人の視線が気になったり、症状として「震え」や「発汗」が気になるなど、周りの人に症状を見られるのが嫌と感じているタイプです。

もちろんこれらはあくまで目安ですし、複数のタイプにまたがっているという方もいますが、「②吐いたらどうしようタイプ」の場合は、いわゆる「**嘔吐恐怖症**」と言われます。嘔吐恐怖症は、気持ち悪くなることや吐くことに対して、健全ではないレベルでの不安が襲い、日常生活に支障が出ている方が該当します。

2. あなたはどのタイプ？

３つのタイプを示しましたが、それぞれが持つ「誤った前提」の例を挙げておきます。

①周りに合わせなきゃタイプ

□残さず食べなければいけない
□ペースを合わせなきゃいけない
□好き嫌いが多いから白い目で見られるかも
□いっぱい食べないとダメだと思う

②吐いたらどうしようタイプ

- □お腹いっぱい食べると気持ち悪くなり吐くかも
- □脂っぽいものを食べたら気持ち悪くなり吐くかも
- □食べてからすぐ移動すると吐くかもしれない
- □吐いたら周りの人に迷惑をかけて嫌われるかも

③見られるのが嫌タイプ

- □震えを見られたらみっともない
- □食べ方が変なのを指摘されたらどうしよう
- □咀嚼音が周りの人を不快にさせているかも
- □汗が出ることで相手に不快な思いをさせているかも

また多くの方に、共通したものとして「食べないことを心配されたらどうしよう」というものもありますが、これについても後の章で扱っていきます。

ワーク１

自分の会食恐怖症のタイプを見極めるワーク

あなたはどのタイプだと思いますか？　チェックしてみましょう。

①周りに合わせなきゃタイプ

②吐いたらどうしようタイプ

③見られるのが嫌タイプ

（①＋②、②＋③など複数当てはまる場合も）＿＿＿＿＿＿＿＿

「じゃあどうすれば誤った前提を変えることができるようになるのか？」ということに関しては、後の章で解説していきます。また、本書では、どなたにもお使いいただけるよう、どのタイプの会食恐怖症にも共通する内容だけでなく、時にはタイプ別にお伝えすることもあります。

会食恐怖症を克服していくために

1．克服のために大切な３つのポイント

「会食恐怖症を克服しよう」となった時に、意識したい大切なポイントが３つあります。それは、**①正しい手順で会食の練習をする、②前向きな考え方を身につける、③日常生活をフローで過ごす**、という３つです。

①正しい手順で会食の練習をする

会食恐怖症を克服するために大切なのは、実際に会食の場をこなして練習をすることだと言われがちです。しかし、大切なのは、先にもお伝えした通り、ただ会食に慣れるためではなくて、誤った前提を改めるための行動をすることです。

②前向きな考え方を身につける

さらに大切なのは、前向きな考え方を身につけることです。同じことが起きても、それをどのように解釈するのかはその人次第です。たとえば会食恐怖症の方が、苦手な会食に挑戦をした時に、気持ち悪くなってしまったとします。その時に「気持ち悪くなったけど、苦手なことに挑

戦できたから良し」とするのか。それとも「会食に行ったけど、気持ち悪くなって最悪だ」とするのか。どちらの考え方をするのかによって、その後の状態や、次の会食機会での心持ちも大きく違っていきます。

③日常生活をフローで過ごす

「会食時以外から、日常生活をリラックスした気持ちで過ごせているかどうか」によって、症状の出やすさは変わっていきます。リラックスしている時間が多いのであれば、フロー状態。逆に、ストレスでイライラしたり、ピリピリしている時間が多いのであれば、ノンフロー状態です。フロー状態を保てるようになるために「日常の習慣」などを改めることも大切になります。

2. 日常生活の状態を疎かにしがち？

お伝えしてきた通り、会食恐怖症の克服を目指した時に、具体的に克服のための行動をしたり、前向きな考え方を意識するのはとても大切なことです。ただ、克服の一番の土台となっているのは、日常の状態の高さなのです（図２）。

図2

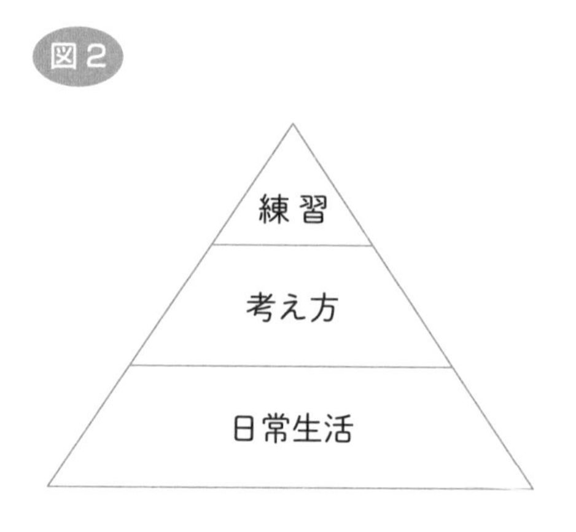

どんなに克服のための方法を理解していたとしても、それに取り組む前向きな気持ちが保てなければ、実際に行動することができないですよね。たとえ薬を飲んで、一時的に症状を抑えられたとしても、毎日がノンフロー状態だったとしたら、また再発してしまう恐れもあります。

一方、日常生活をフローで過ごすことができれば、自然と考え方も前向きになっていくことも増え、「実際に行動してみよう」と、内側からやる気が出ることにも繋がります。

ですから、その部分を疎かにして欲しくないと思っていますし、本書でも「**日常生活をフローで過ごすこと**」について、後の章でより詳しく取り扱っていきたいと思っています。

第2章

会食恐怖症を克服するために
するべきことを見定める

恐怖の原因となっている「誤った前提」を見定める

1. 具体的には何が怖い？

ここからは実践的な内容になります。本章では、具体的な行動ベースで「**自分は克服のために何をしていけばいいのか？**」を見定めていきましょう。そして、それを見定めていくために「**具体的に会食でどうなるのが怖いのか？**」を最初に確認していきます。

さて。あなたは具体的には会食でどうなってしまうのが怖いでしょうか？

複数あると思いますが、たとえば、私が当事者として悩んでいた時は、「食べられずに早く食べろと周りに言われるのが怖い」というものがありました。他にも、第１章でも挙げたように、「残してしまい怒られるのが怖い」、「気持ち悪くなり人前で吐いてしまうのが怖い」、「震えを見られてしまうのが怖い」、などいろいろとあります。

これをまずしっかりと確認することが、克服のためにやるべき行動を洗い出すためには大切です。

ワーク２

恐怖の根源をつきとめるワーク

具体的に会食で何が起きるのが怖いか書いてみましょう。

例：残してしまい怒られるのが怖い、気持ち悪くなり人前で吐いてしまうのが怖い、震えを見られてしまうのが怖い。…など。

2. どんな前提からその恐怖が生まれているのか？

そして、「具体的に会食でどうなるのが怖いのか？」がなんとなく見えてきたら、次に明確にしていきたいのは「**どんな前提からその恐怖が生まれているのか？**」です。もっと平たくいえば、「どんな考え方を持っているから、今の恐怖が生まれているのか？」です。

「**前提**」というのは、あなたが無意識的に信じている考え方のことですが、「**誤った前提**」によって、不安が大きくなったり実際に症状が出たりするようになっているのは、第１章でお伝えした通りです（図１を参照）。ここで、よくある前提の例をおさらいし、持ちたい前提の例を挙げます。

よくある前提の例（誤った前提→持ちたい前提）

①周りに合わせなきゃタイプ

・残さず食べなければいけない→残しても大丈夫
・ペースを合わせなきゃいけない→ゆっくり食べても大丈夫
・好き嫌いが多いから白い目で見られるかも→好きなものを食べればいい
・いっぱい食べないとダメ→少食でも別にいい

②吐いたらどうしようタイプ

・お腹いっぱい食べると気持ち悪くなり吐くかも→お腹いっぱいでも吐くわけではない
・脂っぽいものを食べたら気持ち悪くなり吐くかも→脂っぽいものを食べても吐くわけではない
・食べてからすぐ移動すると吐くかもしれない→移動しても吐くわけではない
・吐いたら周りの人に迷惑をかけて嫌われるかも→もし吐いても嫌われるわけではない

③見られるのが嫌タイプ

・震えを見られたらみっともない→震えても嫌われるわけではない
・食べ方が変なのを指摘されたらどうしよう→食べ方が変でも嫌われるわけではない
・咀嚼音が周りの人を不快にさせているかも→咀嚼音があっても嫌われるわけではない
・汗が出ることで相手に不快な思いをさせているかも→汗が出ても嫌われるわけではない

ワーク３

自分が持っている誤った前提を確認するワーク

自分はどんな誤った前提を持っているか？を、前のページを参考にして挙げてみましょう。

誤った前提を改めるための行動をする

1.「〜しなきゃ」を「〜でもいい」へ

自分が今持っている「誤った前提」が見えてきたら、それを「持ちたい前提」に変えていくための練習を、スモールステップで行っていきます。先に方向性だけお伝えすると、その練習というのは**「これまでの対策を手放す」**という方向性の行動になることが多いです。

ここから少し掘り下げて解説しますが、例えば、「周りにペースを合わせなきゃ」という前提で苦しんできた人は、「周りよりもゆっくり食べても大丈夫」という前提に変えていきたいのです。

しかし、きっとこれまでこの前提で苦しんできた人は、「頑張ってなるべくみんなのペースに合わせて食べようとする」という“対策”をしてきたはず。そして、この対策をし続けてきたからこそ、また次の会食の時も「今回も早く食べなきゃ！」となり、またその次も……というようにずっと苦しんできたのです。

そうではなくて「周りに合わせなくてもいい」のように、「～しなきゃ」としてきた対策を「～でもいい」と手放していくのが大きなコツになります。具体的にこの場合は「あえて自分のペースでゆっくり食べてみる」という行動が良いでしょう。

2. 吐いたらどうしようタイプの場合

「吐いたらどうしようタイプ」の方の場合は、さらにいろいろな対策や準備をしてしまいがちなので、もう少し詳しくお伝えしていきます。

よくある対策や準備としては、

- 満腹になるまで食べないようにする
- 脂っぽいものを食べないようにする
- 食べてからすぐ動かないようにする
- 賞味期限切れのものは食べないようにする
- マスクを常にしている
- ミントスプレー・タブレット菓子を常に携帯している
- 手洗いやうがいを必要以上にする
- ビニール袋をカバンの取り出しやすい位置に入れている

などがあります。

もちろん、対策全てが悪いわけではありませんし、わざわざあえて気持ち悪くなる必要はないでしょう。しかし、過度に対策や準備をしすぎることによって、いざその対策や準備ができない場合に、大きな不安が押し寄せることになりますし、「対策をしているから無事に過ごせている」と、自己効力感をあまり感じにくいです。ですから、手放せるものがあれば、少しずつその対策を手放していくことも視野に入れていきたいです。

実際、「山口さんからのアドバイスを参考にして、今まで電車に乗る前に必ず口に入れていたミントタブレットを食べるのをやめるようにしました。そうすると、いつのまにか食べないことが普通になってきて、食べなくても変わらない自分に気づくことができました」というような声をこれまでにいただいたことがあります。

とはいえ、いきなり今やっている対策を手放すのは、とても不安が大きいと思います。実際は、第４章、第５章の内容を実践してもらうことで、自己評価が上がり、普段の気持ちの状態が高くなっていくと無理なく自然に手放すことができますので、安心してください。

ワーク４

今までの対策を確認するワーク

今までしてきた対策を書いてみましょう。

例：頑張って全部食べるようにする、周りに合わせて急いで食べるようにする、お腹いっぱい食べないようにする、脂っぽいものはなるべく食べないようにする、食べてすぐ移動しないようにする、震えないように努力する、食べ方を綺麗に努力する、薬を飲んで不安に備える。…など。

ワーク５

今までの対策を手放す行動を挙げてみるワーク

今までの対策を手放すことになる行動を書いてみましょう。

例：あえて残すようにする、あえてゆっくり食べてみるようにする、いつもより少しお腹いっぱい食べてみる、脂っぽいものも食べてみる、いつもより食べてすぐ移動してみる、震えを隠そうとしないでみる、綺麗に食べようとしないでみる、薬を飲まないでみる。…など。

ワーク５を書いてみて、「本当にこんな行動ができるのかな？」と、不安になるかと思います。これは、あくまで方向性であって、実際はスモールステップでできる範囲の行動から始めていけば問題ありません。

克服に向けたファーストステップを実践！

1. 自分の練習メニューを作ってみよう

実際にやっていく行動の方向性がわかってきたら、より現実的に実践可能な練習メニューを作っていきます。ここでの大きなポイントは、「普通の人」と比較せずに、**スモールステップで考えていくこと**です。これは一見、遠回りのように感じても、そのほうが早く克服していくことができます。

たとえば、あなたの理想の状態が「異性との食事のデートを楽しめるようになること」だったとします。ですが、今それに挑戦しようとした時に、不安で不安でたまらない場合は、無理してその高いレベルの会食に挑戦するよりも、もっとハードルが低く感じられる、行きやすい会食から練習していったほうが良いです。

具体的には、

・どんなお店なら行きやすいか？
・どんなものを食べやすいか？（飲み物だけにするのも OK）
・行く時間帯はいつなら行きやすいか？
・どれくらいの人数なら行きやすいか？
・どんな相手なら行きやすいか？（最初は一人でも OK）

などの部分を考え、工夫することで、ハードルを調整していきます。

ワーク6

あなたの理想の状態を確認するワーク

「異性との食事デートを楽しめている」など、自分の尺度で心から達成できたら良いなと感じるものを「現在形」で書いてみましょう。

ワーク７

理想の状態に近づくための行動を挙げるワーク

理想の状態に近づくために始められそうな具体的な行動を、なるべくたくさん挙げてみましょう。

例：まずは一人でカフェに入って飲み物を注文してみる。仲の良いミカちゃんとファミレスＡに行きパスタを注文して半分残してみる。今度の飲み会ではいつもよりわざと汚く食べてみる。食べてから10分以内に次の場所に移動してみる。…など。

【注意】この際にワーク５（p.28）の「対策を手放す」方向性になっているかをしっかり確認しましょう。

ワーク8

自分の練習メニューを作ってみるワーク

ワーク7で挙げたものに対する難易度を0～100で並べて、ハードルの低いものから実際にやってみましょう。

【練習例】

仲の良いミカちゃんとファミレスAに行って飲み物だけ注文する。(30)
仲の良いミカちゃんとファミレスAに行ってパスタを注文して半分残してみる。(50)
仲の良いミカちゃんとファミレスAに行ってお肉を注文して半分残してみる。(70)

練習1→

練習2→

練習3→

2. 練習の効果をあげるポイント

実際に練習をしていく際に、効果を上げたり、挫折せず継続させていくために大切な3つのポイントをお伝えします。

①練習する気が起きない時は無理をしない

練習をする気が起きない時に、無理をする必要はないです。「〜しなきゃ」を「〜でもいい」に変えていくことが大切とお伝えしましたが、これはこの場面でも同様です。「練習しなきゃ」だけの気持ちでは辛くなってしまいます。たしかに克服のためには行動が必要ですが、それ以上に無理せずに休むことを許可していくことも重要なのです。焦らず、休んで元気になってきたら、「また練習しようかな」という前向きな気持ちが、自分の内側から出てきますので大丈夫です。

②無理をせずスモールステップで繰り返し練習をする

無理をせずにスモールステップで練習をしていきましょう。難易度の数値的には30〜50前後のものからやってみるのがオススメです。遠回りのように見えて、そのほうが早く克服していくことができます。また、一度やった練習を何度も繰り返していったほうが、良くなっていくことを実感しやすいので、何度も繰り返してやるのはすごくオススメです。

③頻度は高いほうが克服のスピードは早くなる

もし前向きな気持ちが継続しているのであれば、練習をする頻度はなるべく高いほうが、より早く克服することができます。無理をする必要はないのですが、やる気があるのであれば、その波に乗るような形で、どんどん練習していくと良いでしょう。

克服のストーリーを作成してみる

1．症状は波がありながら良くなっていく

克服に向けた練習をして、右肩上がりで調子が良くなったら嬉しいですよね。しかし、実際のところはなかなかそうはいかず、波（起伏）がありながら少しずつ良くなっていきます（図3）。

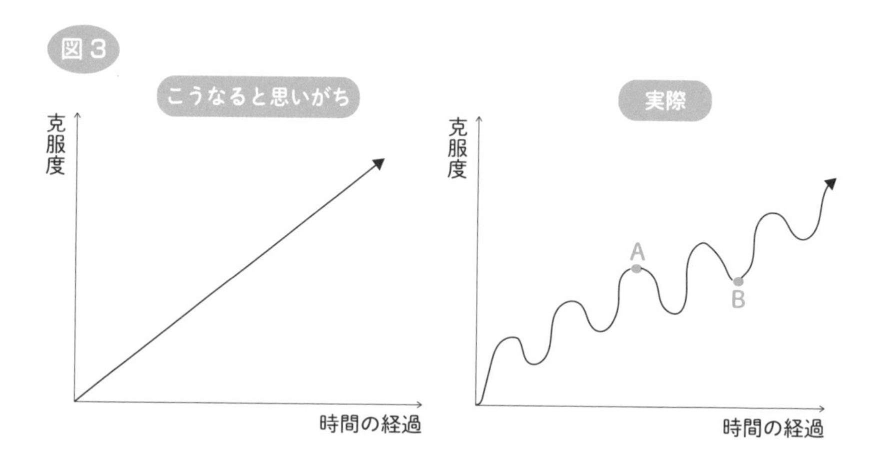

ある意味では「波がないと良くならない」くらいに考えていただくほうが良いと思います。また、図3のAとBを比較した時に、「前よりも悪くなった」と感じるかもしれませんが、実はこれでも順調なのです。ですから、一時的に調子が悪くなるのはよくあることですし、その都度一喜一憂しないことはとても大切です。

そして、さらにあなたの克服を近づけるために、自分の克服のストーリーを想像してみるワークをしましょう（図4およびワーク9）。

ワーク９

克服への臨場感を高めるワーク

1. 図４右上の★から左下の●に向けて適当な波形曲線を描く
2. 克服した時にあなたが楽しめていることをイメージして吹きだしに書いてみる
3. 谷になっているところに２つ○をつけてキーマンを記入してみる

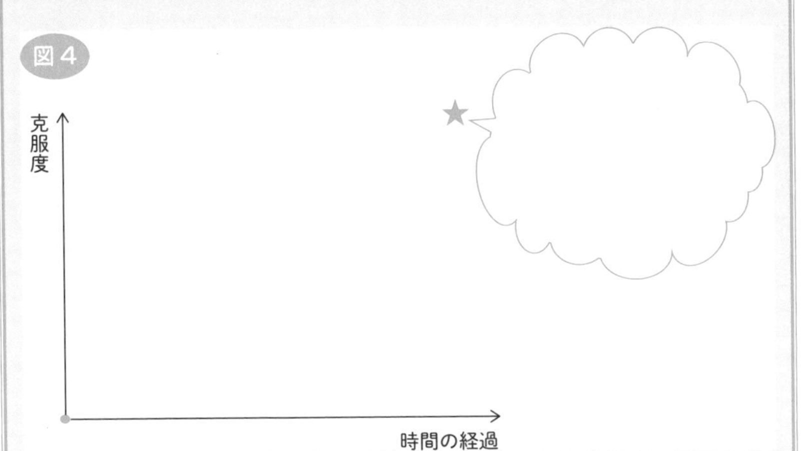

それをやってみた上で、克服のストーリーを作ってみましょう（例は次ページ参照）。

ストーリー

ワーク９ 記入例

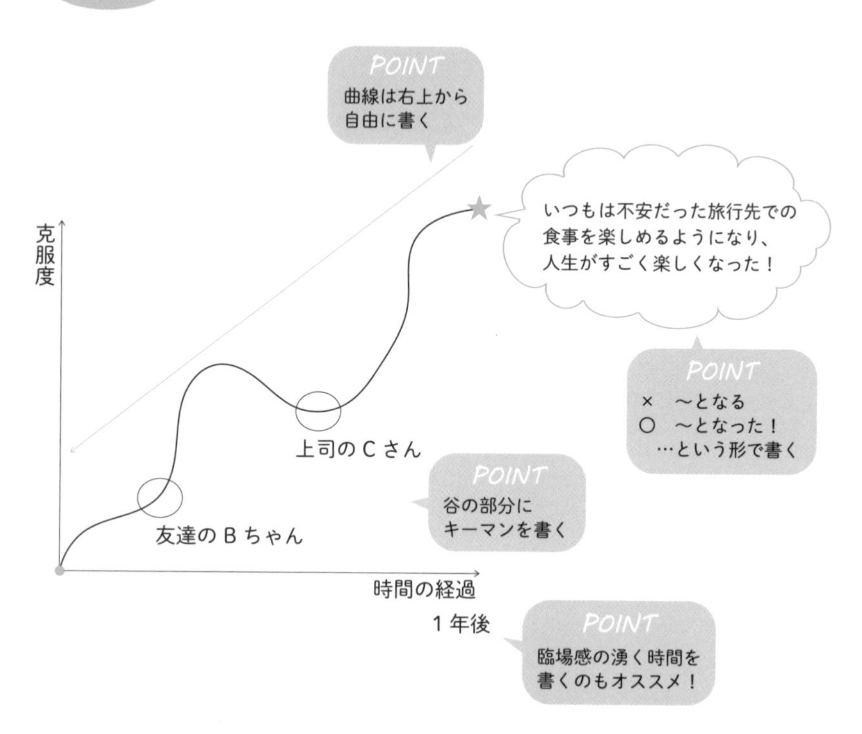

私の克服のストーリー

克服をしようと思ったときに、思い切って仲の良いＢちゃんに会食恐怖症のことを打ち明けてみた。そうすると、「一緒に練習しよう！」と受け入れてもらうことができて、それから少しずつよくなっていった。
一時期調子を崩したときに、会社の飲み会があった。そのとき、近くにいた上司のＣさんが全然食べておらず、「別に食べなくても、周りの人って気にしてないんだ」と大きな気づきになった。
その後は、少しずつ会合に行く頻度をさらに上げたら、恐怖が少なくなっていき、いつも不安だった旅行先での食事を楽しめるようになり、人生がすごく楽しくなった！

なぜ、このワークをやったほうが良いかというと、**人は自分が意識した未来にしか進むことができない**からです。一方で、意識すればその未来を実現する可能性はグッと高まります。

たとえば、東京に住んでいる人は、「明日までに大阪に行こう」と意識をすることで、切符を買い、新幹線に乗って、大阪に着くことができます。しかし、「なんとなく過ごしていたら大阪に着いていました」ということは起きません。ですから、「どんな未来になっていたいか？」を想像したり、意識することは大切なのです。そして、ストーリーにすると、圧倒的に記憶に残りやすくなります。

このワークに取り組むことで、あなたはさらに克服することを意識できるようになり、その未来への臨場感が高まることになります。ぜひやってみてください。

会食恐怖症があることで助かる理由について考えてみる

1.「お母さんに食べろと言われるけど、会食恐怖症とわかってから言われなくなった」

もう一つ、別の方向性で克服にアプローチする仕方も紹介しておきます。それは「**もし、自分の会食恐怖症が治らないほうが良い理由があるとしたら、それは何か？**」を考えていくというものです。

「そんな理由なんてあるの？」と思うかもしれませんが、考えてみると意外と出てくる人が多いものです。

たとえば、これまでクライアントさんにやっていただいた中では「会食恐怖症だとパートナーに打ち明けてから、そのパートナーが優しくなったから、もし治ったらどうなるのかが怖い」だったり、「会食恐怖症だからこそ、食べられないことや食事の場に参加しないことを自分の中で正当化できる」などの理由が出てくることがありました。

さらに印象的なものでは、「お母さんに食べろと言われるが、会食恐怖症だとわかってから言われなくなったので、治ったらまた言われ始めるんじゃないかと感じます」というものが出てきたこともありました。

私が当事者として悩んでいた時を振り返っても、「会食恐怖症だから、食べられなくても仕方がないんだ」と、自分を正当化するために、ある意味では必要だったと感じます。こういった場合は「仮に食べられなかったとしても自分の価値が下がるわけではない」と思えるようになることで、それが不要になるので、克服しやすい状態を作ることができます（自分には価値があると思えるようになる方法は、以降の章でお伝えしていきます）。

この理由があることが良いとか悪いとかいうわけではないですが、この方向性から自分の症状について考えてみることで、克服のために大きなヒントが得られるケースが多いのです。ぜひ、考えてみましょう。

ワーク10

治らないほうが良い理由を考えてみるワーク

「会食恐怖症が治らないほうが良い理由」「会食恐怖症があることで助かる理由」があるとしたら？

例：食べられないことを正当化できる。身近な人が優しくしてくれる。「食べろ」と周りに強く言われないで済む。…など。

ワーク11

治らないほうが良い理由を手放すためのワーク

その理由が不要になるためにはどう変わることが大切だと思いますか？

例：食べられなくても良いと思えるようになる。身近な人が食べなくても変わりなく優しくしてくれる。「食べろ」と言われることに対して動じなくなる。…など。

コラム

身近な人のサポートについて

家族など当事者以外の方が、会食恐怖症の当事者の方の克服をサポートしようと考えた時に、大切なのは「焦らない」、「克服を迫らない」ということです。

もちろん、当事者の方から会食恐怖症のことについて相談をされたら、自分なりにアドバイスをしてあげるのは良いと思います。ですが、焦って克服を迫るよりも、「今のままで十分あなたは価値があるんだよ」という姿勢で、現状を受け入れてあげることで良くなっていきます。

当事者の方も「一緒にご飯を楽しく食べられたら良いけど、それがあなたとできなくて申し訳ない」と思っている可能性が高いです。その時に「なんで食べられないの？」、「あなたといてもつまらない」と言われたら、さらに自分のことが嫌いになってしまうでしょう。

ですから迫らずに、現状を受け入れてあげることにより、当事者の方から「克服したい」という前向きな気持ちが高まっていくのを待つことも大切です。その段階になってきたら一緒に練習するなど、具体的に取り組んであげたら良いと思います。

克服のためには、

①正しい手順で会食の練習をする
②前向きな考え方を身につける
③日常生活をフローで過ごす

という３つが大切だと第１章でお伝えしましたが、身近な人にできるのは「③日常生活をフローで過ごす」サポートです。考え方を変えさせたり、行動を変えさせることに執着をしてしまうと、サポートする側のあなたも疲れてしまいます。

また、サポートする側のあなたがご機嫌で身近にいてあげることが、当事者の方の「フローな状態」を保つことにつながりますので、自分自身を大切にすることも忘れないでいてください。

詳しくは、拙著『食べない子が変わる魔法の言葉』（辰巳出版）も参考にしてみてください。

第　章

実際の会食場面で不安を軽減させる

不安の性質について

1. 不安が大きくならないために大切なこと

第３章では、主に「実際の会食場面で不安を軽減させる方法」についてお伝えしていきます。そのためにまずは**「不安について知る」**ということから始めていきましょう。

会食恐怖症の方は症状に悩むと思いますが、それは不安が必要以上に大きくなってしまい、コントロールできる範囲を超えてしまうからです。

では、「不安という感情は不要なのか？」というと、そういうわけではありません。なぜなら、不安は良い方向に作用することもあるからです。

たとえば、「明日重大な仕事がある！」という時に多くの方は不安になると思いますが、だからこそしっかり準備をして、仕事で良い成果を出すことができるというケースもあるはずです。これはスポーツの世界ではよく言われることですが、**多少の不安や緊張があったほうが、人のパフォーマンスは発揮される**ことが証明されています（図５）。

図５

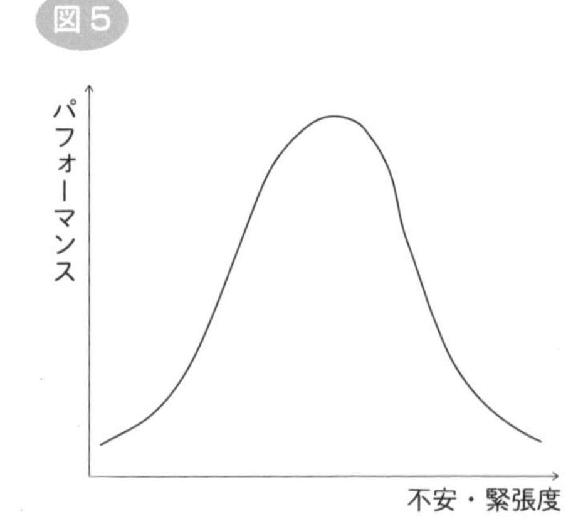

また、不安はそもそもなくすことはできません。なくなってしまうと、生命の危機に瀕する可能性すらあ

ります。つまり大切なのは、なくそうとせずにうまくコントロールしていくことなのです。

そして、コントロールする際に一番大切なのは、**「不安をジャッジせずに受け入れる」**ということです。

2.「不安でも別にいいや」が有効な理由

ジャッジせずに受け入れるというのは、**「不安をそのまま感じてみる」**ということでもあります。別の表現をすると「不安でも別にいいや」と考えるようにするということです。

不安が必要以上に大きくなってしまう方に多いのは、不安を「良くないもの」とジャッジし、「抑えよう、抑えよう」としてしまうことです。

しかし、抑えようとすればするほど、もっと不安について考えることになります。そして、その「抑えよう」という気持ちに反発するかのように、もっと不安が大きくなってしまうのです。

これは眠れない夜に、「寝なきゃ、寝なきゃ」と思えば思うほど、どんどん目が冴えていく状態と似ています。

ですから、普段から不安が大きくなってきたら、「私は不安を感じているんだな」とそのまま感じるようにしたり、「不安でも良いんだ」と、受け入れるように意識してみましょう。これは会食以外の日常のさまざまなタイミングで、ぜひ練習してみてほしいです。

不安を受け入れる練習

日常で不安を感じた場面で、「不安でも良いんだ」と心の中で言ってみよう。

3. 不安のピークは30分まで！

ちなみに、不安という感情は、ピークが30分しか続かないと言われています（図6）。

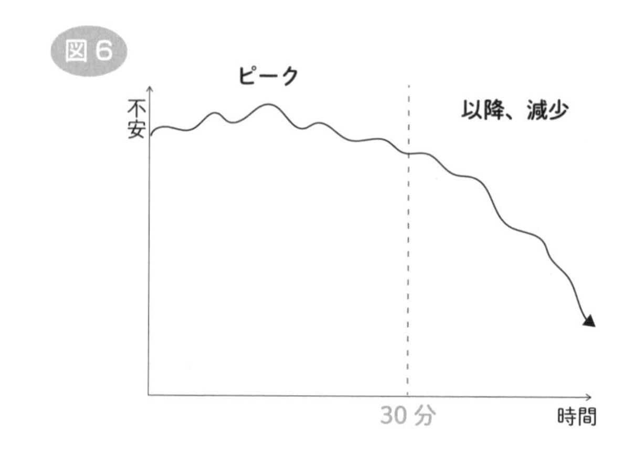

実際によくクライアントさんが言うのが、「会食に行く前や食べ始めた時は不安と緊張が本当にひどかったですが、時間が経っていくうちに慣れていったのか、ちょっとずつお腹が空いてきて食べることができました」というものです。もしかしたら、あなたにも似たような経験があるかもしれませんね。

これをあらかじめ知っておくだけでも、会食の時に感じる不安に対して「最初の30分に感じる不安が大きいだけで、少しずつ治まっていくから大丈夫！」と思えるかもしれません。

会食で頭が真っ白にならないために

相談に乗っていて、クライアントさんがよく口にする言葉があります。それが「不安や緊張で、頭が真っ白になってしまって……」という言葉です。これは、会食の場面で不安がコントロールできる範囲を超えて、パニックになってしまい、思考が停止してしまったということですね。

なぜ、人にはこのようなことが起こるのでしょうか？

実はこれは本来、あなたを生命の危険から守るための反応なのです。人の脳は想定外の出来事に対して、危険を感じて、生命を維持できるようにするためのプログラミングがされています。その時に「考える」という領域の活動のスイッチをオフにして、「逃げる」か「戦う」という二択の行動しかできなくします。この時にいわゆる「頭が真っ白」な状態になるのです。

たとえば、“道を歩いていたら、暴走した車がいきなりこちらに向かって今にも突っ込んできそう！”というケースがあったとします。その時に「このまま自分に突っ込んできたらどうなるかなー。んー……」などと考えていたら、すぐに逃げることができず、命が危ないですよね。

だから、こういうタイミングでは「考える」という領域の活動のスイッチをオフにして、「逃げる」か「戦うか」の２択に絞ることで、命を守ろうとするのです。

このような仕組みから、会食の場面でも「自分の想像以上の不安」が起きた時に、頭が真っ白になってしまいます。実際にそうなった際、トイレに逃げ込んでその危機から回避した経験のある方も多いようです。

これを踏まえた上で、頭が真っ白にならずに対応できるようになるワークがあるのでご紹介します。

それは、**（1）最悪のケースを事前に想定しておいた上で、（2）もしそうなった時に具体的にどういった行動をするのかを決めておく**、というものです。

ポイントは、⑵具体的にどういった行動をするのか決めておく、の部分を「**すぐに行動に移せるイメージができるくらい詳細に決めておく**」ことです。

たとえば、最悪のケースとして、「会食中に気持ち悪くなり、みんなの前で吐いてしまう」ということを想定した場合。具体的な行動として、「もし吐いてしまったら、まずはトイレに逃げ込み気持ちを落ち着かせる。ある程度時間が経って気持ちを落ち着かせたら、もしかしたら周りの人で不快な思いをした方もいるかもしれないので、その時はその人に対して謝るようにする」というように、事前に詳細な行動を決めておくようなイメージです。

当然、このワークは会食以外のことでも使えます。たとえば、人前で話すのが苦手という人がいたとします。

そういう場合、最悪なケースとして、「話そうとしても頭が真っ白になり、言葉が出てこなくなる」ということを想定し、「“話すのが苦手で緊張して頭が真っ白になってしまいました”と、正直に言うようにする」と、事前に決めておくようなイメージです。

さて、あなたが考える最悪のケースと、その際の具体的な行動を決めてみましょう。

ワーク12

最悪のケースへの不安を抑えるワーク①

あなたが考える最悪のケースは？

例：会食中に気持ち悪くなり、みんなの前で吐いてしまう。

ワーク13

最悪のケースへの不安を抑えるワーク②

その際にどういった行動をするか決めてみましょう。

例：もし吐いてしまったら、まずはトイレに逃げ込み気持ちを落ち着かせる。ある程度時間が経って気持ちを落ち着かせたら、もしかしたら周りの人で不快な思いをした方もいるかもしれないので、その時はその人に対して謝るようにする。

実際の会食で不安を和らげる方法

1. 会話を楽しむことに集中する

実際の会食場面で不安を和らげるために、すごく効果的な方法があるので紹介します。それはズバリ、「**会話を楽しむことに集中する**」という方法です。これを意識的にやってもらうことで、これまで多くの方から「いつもより不安を感じませんでした」という声をいただいています。

これはなぜかというと、人は「注意（attention）のベクトル」が、自分に向いているとより不安になったり緊張したりする一方、それが相手との会話など、自分以外に向いていると、不安や緊張が少なくなるからです（図7）。

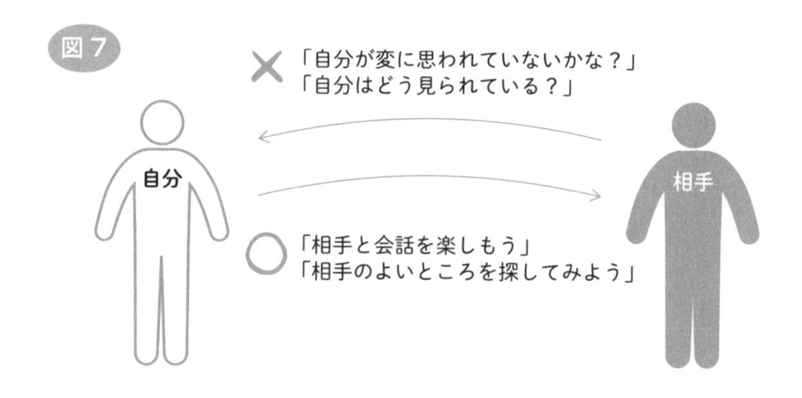

注意のベクトルが自分に向いている状態とは、たとえば「自分が食べないことを変に思われていないかな？」のように、「自分が今どう思われているか」が気になっている状態です。

一方、会話を楽しむことに集中すると、会話の内容や、相手の話をちゃんと聞くことに意識を向けることとなり、必然的に「自分が今どう思われているか」という思考から外れるので、不安を感じにくくなるというわけです。

2. 注意のベクトルトレーニングワーク

この「注意のベクトル」というのは、会食場面以外でも一緒です。

たとえば、人前で話すのが苦手な人も「自分は上手く話せているかな？」というような思考をしていると、やはりすごく緊張すると思います。一方で、「相手にしっかり伝わっているかな？」というように、注意のベクトルが自分以外に向いていると、緊張は少しマシになっていくでしょう。

ですから、普段から練習できることとして、「相手に対してこうする」というように、決めて過ごすというのはすごくオススメの方法です。たとえば、「今日、これから会う人のことを１回褒めるようにしよう」とか、「今日の仕事では、チームに対して励ますような言葉を多くしてみよう」みたいな形ですね。

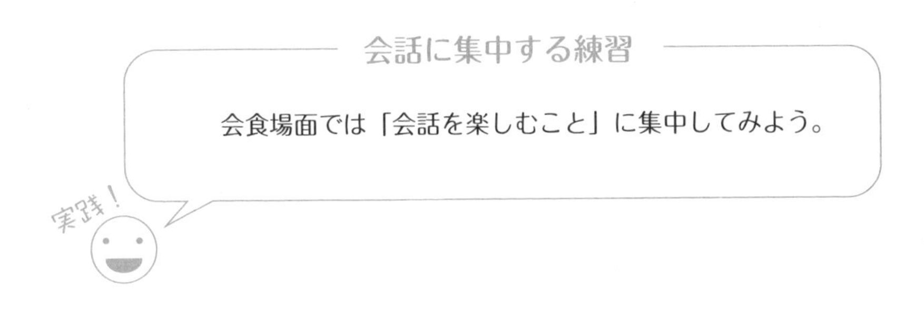

人の心理というのは投影します。新しいカバンを買ったばかりの人は、道ゆく人がどんなカバンを持っているのかが気になります。これを応用すると、普段から関わる目の前の人に注意のベクトルを向けて、さらに相手の良いところ探しをすることで、自分の良いところ探しに

もなります。

そのように日常から過ごしていくことで、不安や緊張を上手くコントロールできるようになりますし、自分の良いところもドンドン見つかっていきますよ。

食べないことを指摘されるのが怖い？

1. 適切な自己主張をしよう

よくある相談に「食べていないことを指摘されるのが怖いです」というものがあります。たしかに「どうして食べないの？」、「もっと食べなよ」などと言われると、相手に悪意はないのがわかっていたとしても、さらにプレッシャーを感じますよね。

ただ、知っておいて欲しいこととして、たとえば「どうして食べないの？」などの指摘については、ほとんどの場合、相手はただ気になっているから聞いているだけで、**あなたを責めているわけではない**ということです。

だからこそ、ここで大切になってくるのは、**適切な自己主張**をしていくことです。意外とこういったケースで、適切に自己主張をしたことがない人は多いものです。

ここでいう適切な自己主張とは、たとえば「気にしてくれてありがとう。早く（いっぱい）食べたい気持ちはあるんだけど、“食べなきゃ”と思うともっと食べにくくなるから、自分のペースで食べさせてもらえると嬉しいな」というように冷静に対応する形ですね。

一方で、何も言わないと相手には伝わらないですし、「うるさいな！黙っててよ！」などと攻撃的になってしまえば、相手もあなたのことを理解しようとはしてくれないでしょう。

適切な自己主張をする練習

以下の自己主張を３回口に出して練習してみよう。

例 :「気にしてくれてありがとう。早く(いっぱい)食べたい気持ちはあるんだけど、“食べなきゃ”と思うともっと食べにくくなるから、自分のペースで食べさせてもらえると嬉しいな」

実践！

他にも「“食べないからつまらない！”みたいに言われたら嫌だな……」という方もいるかもしれませんが、「食べなきゃ」と思うことで気持ち悪くなって、雰囲気が暗くなるからこそ、つまらない時間になってしまうはずです。一方、仮に食べなかったとしても、楽しく会話ができていたら、つまらないと言われることはないと思います。要はこちらの態度次第なのです。

2. 一生解決しない問題とは？

とはいえ、会食というのは相手があることなので、あまり食べないことに対して、相手がどういう反応をするかはわかりません。

大切なのが、「**自分がコントロールできない問題は考えない**」ということです。なぜなら、その部分というのはいくら考えても、解決しないので疲れるだけだからです。

たとえば、「不安や緊張で食べられないこと」については、本書を参考にして自分でコントロールできる部分があります。しかし、「食べられないことに対して相手がどう思うか」については、こちらがどんなに頑張ったとしても、コントロールできない部分があります。相手には相手の価値観があるし、育ってきた環境がありますからね。

だから大切なのは、「**自分がコントロールできることに集中して、コントロールできないことは諦めること**」です。諦めるというのは、明らかにするというのが語源と言われていますので、決してネガティブなことではなく、真実を見るということです。

会食恐怖症をうまくカミングアウトする方法

多くの方から、「会食恐怖症であることを打ち明けようか悩んでいます」という質問をいただくことがあります。

無理して打ち明ける必要はないですが、うまく打ち明けることで周りから理解を得ることができれば、克服の大きな助けになるのは間違いないでしょう。

そして、打ち明ける際には、今からお伝えする3つのポイントを意識してみてください。そうすることで、ほとんどのケースで理解を得られると思います。

①「相手に理解してほしい」という期待の気持ちを持たない

当事者として「周りに理解してほしい」と思うのは当たり前なのですが、そこをゴールにしてしまうと、焦りが出てしまったり、相手に過度な期待を抱いてしまい、うまくいかないことが多いです。そこで、「相手に理解してもらえたか」ではなく「自分が伝えたいことを伝えることができたか」ということを一番の基準として考えます。

②相手にとって受け取りやすい表現を使う

「会食恐怖症で……」と打ち明けるのか、「人とごはんを食べる時に緊張しちゃう……」と打ち明けるのかで、相手が受ける印象は違います。医療機関などで専門家に伝える際は「会食恐怖症」と伝えても、理解してくれる方も一定数いるかもしれません。しかし、お友達相手にいきなり「会食恐怖症」というワードを出すと、驚かれる方もいます。相手にとって受け取りやすい言葉を選ぶようにしましょう。

③前向きに頑張っていることも一緒に伝える

さらにそれだけではなく、必ず「前向きに頑張っていること」も一緒に伝えるようにしましょう。「悩んでいるんだよね……」だけなのか、「悩んでいるけど、良くなりたいと思っているから、優しく見守ってもらえると嬉しいな」なのか、このどちらかによって、相手が受け取る印象は大きく異なります。

この３つのポイントを踏まえた上で、打ち明けることができればほとんどの場合はうまくいきます。たまに「打ち明けることで、相手から誘われなくなったらどうしよう」と感じる方もいるようですが、それが心配なのであれば「練習になるから誘ってくれるのはすごく嬉しいし、またあなたと一緒にどこかに行ったりしたいから伝えたんだよ。これからもよろしくね」ということも一緒にお伝えすると良いと思います。

打ち明ける練習

以下の内容を３回口に出して練習してみよう。

例：「悩んでいることがあるんだけど、ちょっと聞いてくれる？ 実は私、人とご飯を食べる時に、（早く食べなきゃ*）みたいに感じて、緊張して食欲が湧かないことがあるんだよね。たまにすごく気持ち悪くなって、本当に大変な時があって……。だからたまに食欲が湧かない時があるんだけど、良くなりたいと思っているから、優しく見守ってもらえると嬉しいな。こうやって一緒に出かけるのはすごく練習になるから、いつもみたいにどんどん誘ってね。いつもありがとう！」

（*あなたが感じている形の不安をお伝えしよう）

実践！

予期不安に対処するためにはどうする？

1．なぜ、会食を想像しただけで不安になるのか？

会食恐怖症で悩む方のほぼ全員が、**予期不安**を感じていると思いますが、それを軽減させる方法を本章の最後にお伝えしていきます。

予期不安というのは、実際の会食の数時間前（あるいは数日～数週間前）から、直近にある会食を想像して不安を感じることです。実際に、想像するだけで気持ち悪くなる方も、非常に多いと思います。

なぜ、予期不安が起きるのかというと、これは脳の性質から考えると理解しやすいでしょう。

基本的に脳というのは、「なるべく楽をしたい」と思っています。どんな人でも、よくやる行動は**習慣化**しますよね。たとえば、毎日歯を磨くことに対して、そんなに疲れないと思います。

このように、よくやる行動に対しては、なるべく習慣化させてしまうことで、いちいち疲れなくなるわけです。

そして、これは思考（考え方）でも一緒です。脳は「なるべく楽をしたい」ので、その人がよく考えることは、「考えよう！」としなくても、次第に**自動で思い浮かぶ**ようになります。

だから、「会食が不安でどうしよう」とよく考える人は、「会食」をイメージしただけで、すぐに「不安」が思い浮かぶようになってしまうのです。

逆を言えば、考え方を変えるコツは「**今はそう思えていなくても、持ちたい考え方をまず持ってみる**」ということです。

2. どうすれば予期不安はなくなる？

これを踏まえた上で、予期不安を軽減させるために大切なのは、普段の日常場面で不安が出てきたら、「不安でも別に良い」という前提の上で、不安に感じた気持ちをリセットするための対処法をやることです。

ここでは３つほど紹介しますが、一番簡単なのは**「この不安に感じた気持ちをリセットします」と、心の中で宣言する習慣をつける**ことです。

もちろん、これは会食以外の不安に感じる場面でも使えますし、不安以外のネガティブな感情が出てきた時にも使えます。

本当は、「ネガティブなことについて考えない」ということができたら良いのですが、人の脳は**「考えない」ということができない**のです。

たとえば有名なフレーズですが、「空飛ぶブタを想像しないでください」と言われたら……。誰でも想像してしまいますよね。ですから、「考えないようにする」のではなく、「リセット宣言をする」ようにしてみてください。

言葉ではなく、具体的なイメージがあったほうがわかりやすい場合は、イメージワークがオススメです。具体的には、「不安を入れる壷」を頭の中でイメージして、不安が出てくるたびにその壷の中に不安を入れていくようなイメージをします。

その時に大切なのが、「この不安というエネルギーを、自分の大切な時に使ってください」と宣言しながらイメージをすることです。これは、試験前日で不安だからテスト勉強が捗るといったように、不安というのは時にエネルギーにもなるからでしたね。

また、少し道具（紙とペン）が必要ですが、**不安を紙に書き出す**ということも非常に有効です。紙に書き出した後は、また心の中で「この不安に感じた気持ちはほとんどが勘違いです」と宣言しながらクシャクシャにして、不安な感情がスーッと消えていくイメージをして、ゴミ箱に捨てましょう。

それに加えて、お風呂に入っている時や、寝る前のウトウトしたリラックスした状態の時に、なるべく明るいイメージをします。

たとえば、会食の場面を想像して、楽しんでいる場面をボーッとイメージするような感じです。ここでは頑張って考えるというよりも、**ボーッとイメージする**というのが大切で、そのほうが脳波がゆるみ、脳内回路を組み替えやすい状態になるのです。

ワーク14

会食への不安を少しずつ軽減させるイメージワーク

寝る時などに、ぼーっと会食を楽しんでいる場面をイメージする習慣をつけてみましょう。
その時のあなたは誰と、どんな場所で、どんな時間に、何を食べて、どんな会話をしていると思いますか？

誰と→

どんな場所で→

どんな時間に→

何を食べて→

どんな楽しい会話をしている？→

上記に書き出したことを、寝る前にぼーっとイメージする習慣をつけてみましょう。

第4章

不安に強くなる考え方を身につける

どうすれば、考え方は変えられる？

1. 考え方次第で、その人の未来が変わる

この章では「考え方」を変えるための方法についてお伝えしていきます。

まず、考え方というのはとても重要です。なぜなら、同じことが起きても、その人が持っている考え方によって解釈が異なるからです。そして、解釈が異なれば、感情の浮き沈みは変わりますし、行動はもちろん、長い目で見た場合には人生そのものすら変わります（図8）。

図8

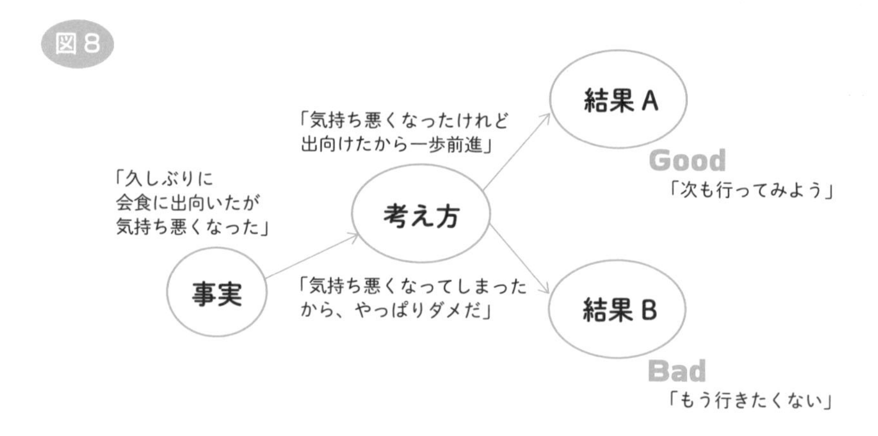

たとえば、会食恐怖症の方が、練習のために久しぶりの会食に臨んだとします。その際に、気持ち悪くなってしまったとしたら、それをどう考えるのかはその人の考え方次第です。

「気持ち悪くなったけれど、会食に出向けただけでも一歩前進だな」と考えるのか？　それとも「気持ち悪くなってしまったから、やっぱりダメだ……」と考えるのか？

どちらの考え方なのかによって、その人の未来が大きく変わるのはイメージできますよね。

2. 考え方を変える一番のコツ

第３章の最後では、考え方を変えるコツについて少し触れました。具体的には、「今はそう思えていなくても、持ちたい考え方をまず持ってみる」ということでしたね。

そしてその理由は、「脳は楽をしたい」からで、よく使う思考回路は自動化させたほうが楽だからです。現実世界に置き換えて考えると、「ここの階段はいつも使うから、エスカレーターを作ればもっと楽になるよね！」といったイメージです。

つまり、前向きな考え方を習慣化させるためには、まず普段から意識的に前向きに考えるようにして、脳に「この前向きな考え方はこの人にとって必要なんだ！　だからいつもこの思考回路を使うんだ！　楽したいから自動化させておこう！」と認識させていく必要があるのです。

そのための具体的な練習方法としてオススメなのは、何か嫌なことが起きた時に「良かった。なぜなら○○だから」と、無理やりでもいいので理由を考えるようにしてみることです。

それがなぜ良いのかについては、次のページでも解説していきます。

考え方を変える練習

嫌な事が起きた時に「良かった。なぜなら○○だから」と理由を考えてみる。

考え方を変えるワークをやってみよう

1. セルフディベートで考え方を変えてみる

もう少し、考え方を変える練習をしていきましょう。そのためにここでは「**セルフディベート**」というワークをお伝えします。

ちなみに、ディベートというのは、1つの議題（テーマ）に対して、AとBの2つの主張のうちのどちらが正しいかを討論し合うというものです。

たとえば、「この政策を実行したほうが良いか？」という議題に対して、したほうが良いAチームと、しないほうが良いBチームに分かれて討論をします。論理的に主張する力がつくこともあり、アメリカの学校では授業の中でも、行われていることがあるようです。

そして、このディベートを応用して、自分自身で1つの議題に対して、ディベートを行うのが「セルフディベート」です。これが実は、考え方を変えるコツを習得することに繋がります。

実際にワークをやっていただいてからのほうが、その理由が腑に落ちやすいので、少し時間をとってやってみましょう。

ワーク15

考え方を変えるコツを習得するワーク

やり方：議題に対してＡとＢの主張の両方から理由を考えてみる。

例：

議題「小学校に入る前から、保護者は子どもに対して勉強を家でしっかり行わせるべきか？」

Ａの主張「行わせるべき」

その理由：私は行わせるべきだと思います。なぜなら、小学校に入る前から家で勉強をしていたほうが、小学校に入った後に落ちこぼれることなく、周りの子と比べて成績が優秀になり、勉強が得意になる可能性が高いからです。得意だと自分から勉強すると思いますし、そうするとさらに成績も良くなると思います。だから、行わせるべきだと思います。

Ｂの主張「行う必要はない」

その理由：私は行う必要はないと思います。なぜなら、小さい頃から勉強をさせることで、むしろ勉強が嫌いになる可能性があると思うからです。小学生になれば、授業を受けて、宿題も出されるので、そこから勉強の習慣をつければ別に落ちこぼれることもないはずです。小さい頃だからこそできる遊び方もあると思うので、そういったことにより時間を割くほうが良いと思います。だから、行う必要はないと思います。

〔練習 1〕

議題「嫌な仕事でも最低３年続けるべきか？　続ける必要はないか？」

A の主張「続けるべき」

その理由：私は続けるべきだと思います。なぜなら→

B の主張「続ける必要はない」

その理由：私は続ける必要はないと思います。なぜなら→

〔練習 2〕

議題「日本の国民的スポーツは野球か？　相撲か？」

A の主張「野球」

その理由：私は野球だと思います。なぜなら→

B の主張「相撲」

その理由：私は相撲だと思います。なぜなら→

やってみましたか？　２つ取り掛かるのが難しい場合は、まずは１つ取り組みやすいほうをやってみてください。

繰り返しになりますが、考え方を変えるコツは、「今はそう思えていなくても、持ちたい考え方をまず持ってみる」ということでした。

持ちたい考え方をまず持ってみることで、その考え方が正しい理由は“後から”ちゃんと見つかります。それは、今のワークでやっていただいたように、自分がそう思っていなくても、理由というのは考えようとすれば出てくるからです。

このセルフディベートのワークは、それを実感してもらうためのものだったのです。

前向きな考え方を持てるようになるコツは「**今は心からそう思えていなくても、とりあえず前向きに考えてみる**」ということを毎日の中で練習することなのです。

ですから、「**持ちたい考え方をまず持ってみる**」ということを、これから大切にしてくださいね。

どんな自己評価をしていますか？

1. 人は１日に５万回もの自己対話をしている

具体的な数値には諸説ありますが、人は１日に約５万回（５万語）もの自己対話をしていると言われています。

もし、友達に１日に５万回ポジティブな言葉をかけられたら前向きになると思います。一方、１日に５万回ネガティブな言葉をかけられたら、誰でも調子を崩してしまうのではないでしょうか？

これを考えた時に、普段の自己対話が明るくポジティブな言葉がベースになっているのか？　それとも、暗くネガティブな言葉がベースになっているのか？によって、その人に与える影響はものすごく大きいはずです。

この章の最初に、「会食に行って、気分が悪くなったらどう考えるかは2通りある」ということを書きました。

ここでは、もう少し振り幅を大きくして書きますが、「あぁ、気持ち悪くなってしまった。やっぱり私はダメなんだ、治らないんだ」と考える人もいれば、「そもそも練習中なんだから、多少気持ち悪くなっても仕方がない！　苦手なことを克服しようと行動している自分はすごい！」と考える人もいます。

そして、どちらの自己評価をするのかで、その人の未来は大きく変わります。

そんな中、私がよく感じるのは、「“自分を評価していい基準”を高くしすぎている人が多い」ということです。これは、おそらく子どもの頃などに、親や学校の先生から、条件付きで評価されてきたことが影響されていると思います。

ですが、実際はこの自分を評価していい基準は低いほうが良いのです。

2. 自己評価の5つのステージ

私は人が持っている自己評価の基準を、5つのステージ（段階）に分けて考えています（図9）。

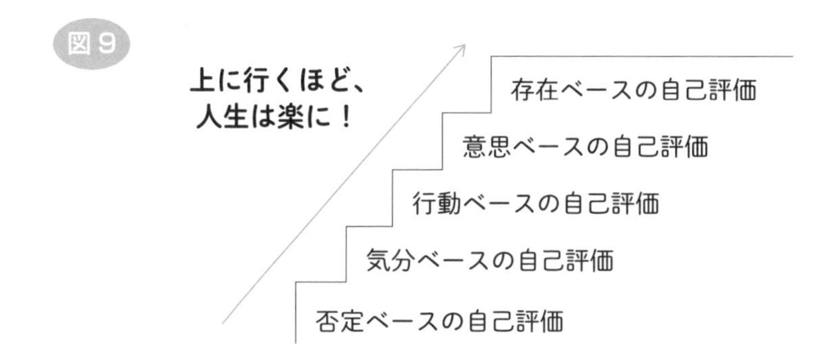

それぞれ簡単に説明すると、一番苦しい**否定ベースの自己評価**の基準を持っている人は、「私って本当にダメだ」などと、常に自己否定をしてしまうような癖があります。

気分ベースの自己評価の基準を持っている人は、気分が良い時は調子が良いのですが、感情的に落ち込むようなことがあると、それに引きずられてしまう癖があります（先の例だと「あぁ、気持ち悪くなってしまった。やっぱり私はダメなんだ、治らないんだ」と考えてしまうタイプです）。

行動ベースの自己評価は感情的に落ち込んでも、できたことを見るような自己評価です（先の例だと「そもそも練習中なんだから、多少気持ち悪くなっても仕方がない！　苦手なことを克服しようと行動している自分はすごい！」と考えるタイプです）。

意思ベースの自己評価というのは、たとえば「会食恐怖症を克服するために頑張ろうと“思っている”」というだけで、自分を高く評価するような自己評価の仕方です。行動自体はまだしていなくても、「やるぞ！」と意思を固めた状態を高く評価できるイメージですね。

もしかしたらここで、「それだと実際に行動をする前に満足してしまって、何もやる気が起きないのでは？」と考える人もいるかもしれませんが、それは逆です。

たとえば、あなたが何かを「やるぞ！」と思っている時に、友達に「頑張ってね！」と前向きに励まされたら嬉しいし、もっとやる気が出るのではないでしょうか？　ですから本当は、意思ベースで自己評価をしてしまったほうが良いのです。

そして、最後の「**存在ベースの自己評価**」というのは、自分がこの世に存在しているだけで、十分に素晴らしいと評価できるような状態のことです。どんな結果であれ、どんなことを考えていようと、自分を常に高く評価しているという状態のことをさしますので、非常に自己肯定感が高いと言えるでしょう。

ワーク16

今の自己評価を確認してみるワーク

自分の今の自己評価の基準は、５つのうちのどの段階だと思いますか？

自分を大切な人のように扱う

ここまでは、自己評価の５つのステージについてお伝えしました。ここからは、自己評価を上げていくための基本的な方法を紹介します。

それは何かというと、「自分を大切な人のように扱う自己対話」を心がけることです。特に何か失敗をしたり、ミスをしたり、うまくいかなかった時に、どんな言葉を自分にかけてあげるのかが大切です。

ここで、ちょっとした簡単なワークをやってみましょう。

ワーク17

理想の自己対話を習得するワーク

あなたの大切な人が仕事で大きな失敗をしました。その時にどのような声をかけてあげたいですか？

きっと、「誰でもそういうこともあるから大丈夫だよ」と励ましてあげたり、「次の機会でこうやって挽回すればいいよ」などとアドバイスをしてあげたりなど、そういった方向性の言葉かけになると思います。間違っても、「そんな失敗をするなんて、本当にダメだね」などの、冷たい言葉はかけないでしょう。

ですが、自分が失敗した時はどうでしょうか？

「あぁ、何をやっているんだろう……」とか、「本当に私ってダメだな……」とか、そのように自分を責めてしまっていませんか？

そのように責めてしまう癖があれば自己評価は低くなってしまいます。しかし、もし今がそうだとしても、意識的に自己対話を変えていけば大丈夫です。

特に失敗した時は、その練習をするチャンスです。ワーク 17 で出てきた内容の言葉を、自分自身にかけてあげてくださいね。

1．失敗に強くなる自己対話

もう少し、毎日の中で簡単にできる、より良い自己対話についてお伝えしていきます。それは「**自分の感情に寄り添う自己対話**」です。

自分の感情に寄り添う自己対話は、言い換えれば「**失敗への耐性が強くなる自己対話**」でもあります。これは「**予期不安の軽減**」にも繋がりますので、ぜひ、毎日少しずつ練習のつもりでやってみてください。

具体的には、毎日の中で何か嫌なことがあったタイミングや、モヤっとしたタイミングにやっていきます。

1つケースを挙げると、「あの人にこんな酷いことを言われた！」という嫌なことが起きたとします。普段のあなたの場合、このタイミングでどのように自己対話をしていますか？

「あの人って本当にムカつく！」とムシャクシャしたりとか、「私ってそんなにダメかな……」と落ち込んだりなど、それについて考えれば考えるほど、さらに感情的になったり、落ち込んだりしてしまう人は多いと思います。ですから、そういうタイミングで「感情に寄り添う自己対話」をやっていくと良いです。

たとえば、脳内で「そういう風に言われて、ショックだったよね」などと声をかけるなど、自分で自分のことを“よしよし”と癒してあげるようなイメージで、その時に感情に寄り添っていきます。これを毎日嫌なことがあったタイミング、モヤっとしたタイミングでやってみてください。

また、普段過ごしていてふとした時に「あの時って、こんなことがあって最悪だったな……」、「あんな辛いことがあって、本当に苦しかったな……」と、過去の嫌な記憶が蘇ることがありませんか？

それは、それらの嫌なことが起きたタイミングで、「自分の感情に寄り添えなかった“負債”」のようなものが、溜まりに溜まって起きている現象です。

多くの場合は、ここでその過去を思い返すのが辛くなり、忘れようとしたり、逃避しようとしたりしますが、癒してあげなければその負債は溜まったままなので、忘れた頃にまたその嫌な記憶が蘇ります。ですから、そういうタイミングでも「あの時は、本当に辛かったよね。私はよく頑張ったよ」などと、自分を寄り添う自己対話をしっかりしていきます。

そうすると次第に自分が癒されていき、嫌な過去に引っ張られることも少なくなっていきます。

また、これを繰り返していくことで、「仮に何かに失敗して落ち込んだとしても、自分を自分で癒せるから大丈夫」となり、未来に対する失敗への耐性も強くなっていきます。

自分を大切にする自己対話の練習

毎日の嫌なことがあったタイミング、過去の嫌な記憶が蘇ったタイミングで、「自分の感情に寄り添う自己対話」を行うようにしよう！

2. 他人の目が気になる

会食恐怖症の方には「他人の目が気になる」という方が多いと思います。

また、会食恐怖症の方の多くは「食べられないことを周りに変に思われたら嫌だ」と感じているはずです。逆に言えば「食べられなくて変に思われても別にいいや」と思えたら、あまり悩まずに済むとも言えるでしょう。最初に挙げた3つのタイプのうちの「1. 周りに合わせなきゃタイプ」の方や「3. 見られるのが嫌タイプ」の方は、特にそうだと思います。

それでは、どうすれば他人の目が気にならなくなるのでしょうか？

ここで多くの方は「なるべく他人の注目を浴びないような行動・対策をする」ということをしがちです。

具体的には、

- ・失敗しないように過剰に準備をする
- ・他人の意見にとりあえず従うようにする
- ・なるべく愛想よく居続けようとする
- ・そのもの自体やその人から逃避する

などですね。
あなたに当てはまるものはあるでしょうか？
一見こういった対策をすることで、

・失敗しないように過剰に準備をする
　→成功する可能性が高くなる気がする。不安が低下する気がする。
・他人の意見にとりあえず従うようにする
　→批判を避けられる気がする。失敗の責任を取らなくて済む気がする。
・なるべく愛想よく居続けようとする
　→拒絶されずに済む気がする。攻撃されないで済む気がする。
・そのもの自体やその人から逃避する
　→大きな落胆をせずに済む気がする。対立を回避できる気がする。

などのメリットがあるような気がします。
ですが実は、

・失敗しないように過剰に準備をする
　→次もまた過剰な準備をする必要が出てくる。時間の浪費感や疲労感が必要以上に大きくなる。本当の意味での自信に繋がりにくい。想定外のケースが来た時にパニックになる。

- **他人の意見にとりあえず従うようにする**
  →自分の成長が大きく妨げられる。必ずうまくいくわけでもないがその結果は自分にも降り掛かる。仮にうまくいっても自分の自信に繋がりにくい。
- **なるべく愛想よく居続けようとする**
  →疲労感が大きくなる。本当のあなたではないので受け入れられている感じがしない。本音を言えなくなり、心から仲の良い人がいなくなる。
- **そのもの自体やその人から逃避する**
  →同じ課題がまた別のどこかで起きがち。同じような人間関係のトラブルが続きがち。孤独になりやすくなる。

そういったデメリットもあるのです。つまりこれでは、根本的な解決には繋がっていないということです。

3. あえてちょっと失敗してみる練習

私がオススメするのが、「**あえてちょっと失敗してみる**」だったり、「**あえて注目を浴びてみる**」練習を、日常の中から無理のない範囲でしてみることです。

「これをすると変に思われるのではないか？」と感じることは、誰でも何かしらあると思います。

人によっても違いますので、あくまで例ですが、

- 男性ならレディース、女性はメンズの服屋に入る。

・店でアイスコーヒーを注文した後に、「あ、やっぱりホットにしてください」と注文し直す。
・いつもと違う色や系統の服を着てみる。
・髪型をいつもと変えてみる。
・店員さんの目をジッと見ながらやり取りする。
・迷った時に通行人に道を聞いてみる。

など。
こういうことや、普段過ごしていて「これをやると変に思われるかも？」と感じることを、できる範囲からで構わないので「練習」だと思って「あえてやってみる」ようにします。
ここでは「練習」だと思って「あえてやってみる」ということが大切で、これは苦手な会食に行く際もそうです。そしてこのように、行動に対して目的を持つことは大切です。

先日、「会社の飲み会がどうしても嫌で……。早く終わらないかなぁといつも憂鬱になります」と、相談してくれた方がいましたが、私はその対策の１つとして「その飲み会に対しての目的を自分で持つこと」の大切さをお伝えしました。
なぜなら人は、「無目的」だと気持ちが落ちるからです。だから、「この飲み会は○○の練習をする飲み会にしよう」と自分で目的を定めたほうが、結果的に気分良く過ごせることが増えていきます。

普段から、「変に思われるかも？」と思うことでも、目的を設定してみて、練習の気持ち（うまくいかなくても良い前提）で、できる範囲からやってみるようにしましょう。

あえて失敗してみる練習

「変に思われるかも？」と感じることを、できる範囲から「練習」の気持ちであえてやってみる。

前向きな考え方を一生モノにするために

1．考え方を変えるためには継続が必要

会食への苦手意識や、考え方を変えるための行動は、継続して行っていくことが大切です。最初は意識的にやることが必要になりますが、それを継続させていけば、それがあなたにとっての自然となります。

では、どうすればそういった取り組みを継続させることができるのでしょうか？

まずは無理のない範囲から、少しずつ、スモールステップで取り組むことが大切です。

たとえば、「今は勉強の成績が良くないけど、これから成績を伸ばしたい！」と思っている人が、いきなり難関大学の模擬試験を受け続けたところで、できないことだらけで嫌になるでしょうし、勉強することが嫌になってしまえば成績も伸びるわけがありません。

それよりも、今の自分に合ったレベルの問題に取り組んで、少しずつ成績を伸ばしていったほうが早いですよね。

ですから、「小さな一歩」を、まずは自分が高く評価するようにしましょう。

ここでは、以下のワークにも取り組んでみてください。

ワーク18

「できた」が拡大するためのワーク

1. まずは図10を10秒間じっと見て覚えてください。しっかりとストップウォッチなどで時間を計ってくださいね！
(1をやる前にその次のページにはいかないでください)

2. ライオンは何匹いましたか？（答えは、p.79 に書いてあります）きっと自信満々で答えられる人はほとんどいないと思います。
3. 次の問題です。トラは何匹いるでしょうか？　またストップウォッチを用意し、図 10 のページに戻ってください。見て覚える時間は 10 秒間です。
4. 答えは p,80 に書いてあります。今度は、きっとほとんどの方が自信満々に答えられたと思います。

このように、人の脳は、自分が意識的に見ようとしたものをキャッチし、拡大化させてくれるようになっています。

私は、食べない子の食育の相談に乗ることも多いのですが、ミニトマトが苦手な子が、お皿に３個あったミニトマトを１個食べたとします。

その時に「トマト食べられたねー！」と言うのか。それとも「ほら、あと２個残ってるよ！」と言うのか。どちらの接し方が、ミニトマト嫌いを克服しやすいかというと、前者なのです。

これは自分自身に対しても一緒です。**自分の「できた」ところを意識的に見たら、その「できた」部分が大きくなっていきます。**

しかし、「できていない」ところを見たり、周りと比較したりして「普通は……」と考えてしまえば、気分は下がり、さらに自分の「できていない」部分が大きくなってしまうのです。

ですから、「できた」部分を見るようにして、自分の小さな一歩前進を高く評価するようにしましょう。

実践！

「できた」を見つける練習

普段から自分の小さな「できた」を、自分で高く評価しよう。

［ワーク 18］ ２の答え：４匹

［ワーク 18］ 3の答え：3匹

フローで毎日を過ごすために

克服しやすい環境づくり

1. 克服の土台は整っている？

これまでの章では、克服に向けた行動の仕方、会食場面での不安への対処の仕方、不安に強くなる考え方を身につける方法などについてお伝えしてきましたね。

これを実践していけば、克服できそうな気がする方もいるかもしれません。ですが、実際はもう１つとても大切なことがあります。

それは、**「克服しやすい環境」**を作っていくことです。これがピラミッドでいえば「土台」となる部分ですので、ハッキリお伝えすると、ここの部分が疎かになっていれば、克服することは難しいということになります。

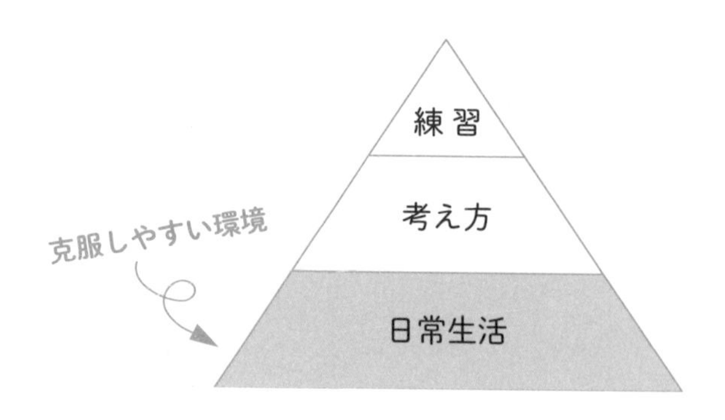

そして、ここでいう環境というのは、日常の行動習慣だったり、あなたを取り巻く人間関係だったりなど、さまざまなことをさします。

これに関連してもう１つ大切な基準として、「**フロー状態なのか、ノンフロー状態なのか？**」というものがあります。具体的には、フローな時間が多いのであれば、克服しやすい環境が整っているということであり、ノンフローであればいくら克服するための行動（会食に実際に出向くなど）をしたとしても、克服するのは難しいのです。

ここで「フローとかノンフローって何だろう？」と思われたかもしれませんので、簡単に説明します。

フロー（状態）というのは、気持ちがリラックスして肩の力が抜けていたり、何か物事に集中して打ち込んでいて意欲的だったりなど、心身ともに状態が高いことです。こういう状態の時は、自律神経のバランスが整っているので症状は出にくくなります。

一方、**ノンフロー**（状態）というのは、毎日ピリピリしていたり、イライラしていたり、不安でいっぱいだったり、気分的にどんよりしていたり、目的がなく無気力状態だったりなど、体調だけではなく気分的にも落ちていて、状態が低いことです。こういう状態の時は、自律神経のバランスが乱れているので、症状は出やすくなってしまいます。なので、フロー状態で過ごすことが大切です。

そして、図11を見ていただくとわかる通り、ここで大切なのは「意欲」と「課題」のバランスなのです。

図11

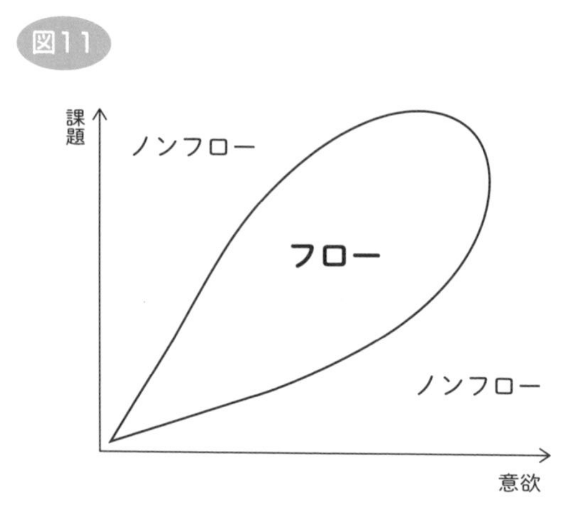

たとえば、大人が簡単な足し算の計算ドリルをやってもつまらないですよね？　だからといって、ハーバード大学の試験問題などは難しすぎて、それもまたやる気が出ない人が多いと思います。一方、「IQ テスト」などだったら、楽しくて取り組むかもしれません。

つまり、意欲的な状態でハードルの低い課題をやる場合や、意欲がない状態でハードルの高い課題をやる場合など、「意欲」と「課題」のバランスが取れていない時にノンフローになるのです。

これまでの章で「自分のできる範囲から取り組む」ということを、何度もお伝えしてきたと思いますが、それは意欲に対して、課題を自分のレベルに合ったもの（フロー状態になりやすいもの）に設定したほうが良いからです。

ここで、「じゃあ、意欲がなく気持ちが低い状態の時はどうすれば良いのか？」ということを疑問に思うかもしれませんね。そこで、気持ちを高めていくためにはどうすればよいのかを、この章ではメインとしてお伝えしていきます。

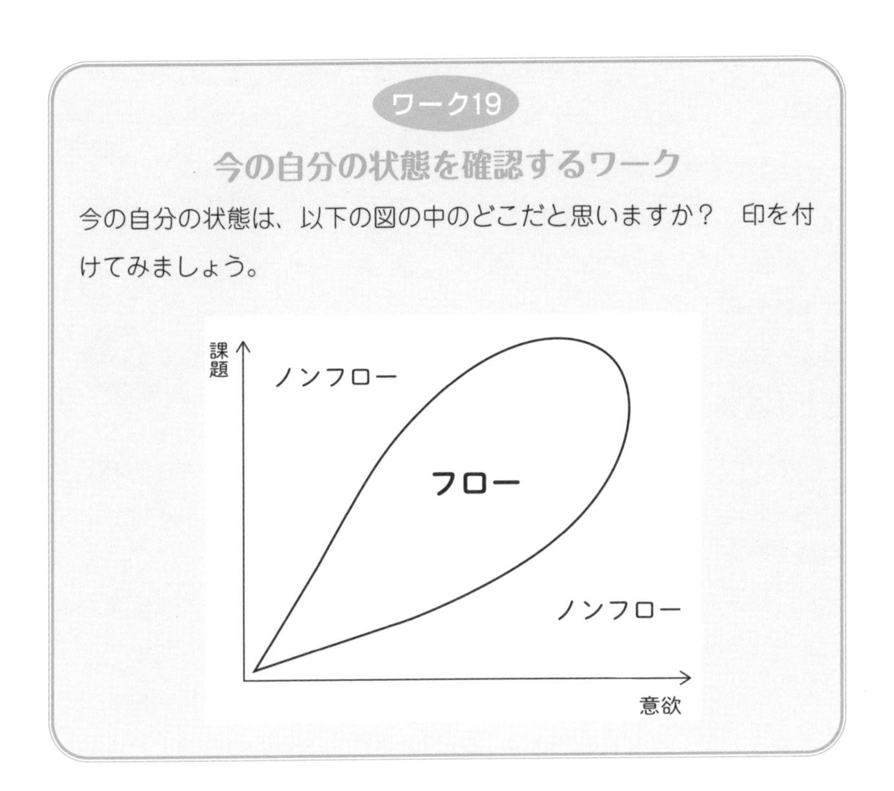

ノンフローになっている大元は？

1. 人はなぜ、やる気がなくなって何もしたくなくなるのか？

フロー状態を保つために、気持ちが高い状態でいることが大切です。では、そもそも人はなぜ、時に何もやる気が起きなくなったり、気持ちが落ちたりなどの現象が起きるのでしょうか？

そうなってしまうタイミングの1つに、「感情的になったタイミング」というものがあります。たとえば、誰かと喧嘩をして嫌な気分になった。失恋をして悲しさでいっぱいになった。ミスをして自分を責めた。……そんなタイミングの時は、誰でも気持ちが落ちますよね？　これらはとてもイメージがしやすいと思います。

一方で、楽しさのあまり、はしゃぎ過ぎてエネルギーを使い果たしたかのように、次の日に何もやる気が起きずに一日中寝ていたい気分になった。そんな経験をしたことがある人もいるかもしれません。

実は、それが楽しいことや嬉しいことでも、人は激しく感情的になったり、感情に浸りすぎたりなど、感情を発散させすぎた後に、消耗して気持ちが落ちやすくなるのです。これは、喜んだり楽しんだりするのがダメというわけではなく、しすぎに気をつけましょうということです。

そして、毎日のように気持ちが上がらず、ノンフロー状態が続いているという人がいる場合、必ずと言っていいほどその人の日常には「感情が揺さぶられる要素（人・場所・時間・習慣など）」というものがあります。

具体的には、身近な人間関係（家族や友人）、仕事のこと、SNSを含めたネットでの情報など、いろいろな要因がありますが、一番先に考えたいのは「人間関係の中でこの人と一緒にいると疲れる」という人がいないかどうかです。

ワーク20

ノンフロー状態が続いている原因を突き止めるワーク

身近な人間関係で消耗しているとしたらその対象は誰でしょう？
誰に見られるわけではないので遠慮せずに書いてみましょう（身近なつながりだけでなく、インターネット上やSNSなども含めて考えてみましょう）。

2．身近な人間関係で消耗しない３つの方法

身近な人間関係で消耗している場合には、しっかりと対処をしていきたいのですが、その方法は主に３通りあります。

①エネルギーを奪う人とはそもそも会わない、反応しない

人を消耗させる人、エネルギーを奪う人を「エネルギーヴァンパイア」と呼んだりしますが、パートナーなどの本当に自分にとって大切な人でない限りは、そういう人とはそもそも会わないほうが良いです。

もちろん、誰でも疲れている時など

は「エネルギーヴァンパイア化」するので、エネルギーヴァンパイアになってしまっている人がダメというわけではありません。ですが、だからといってあなたがその人と関わることで消耗する必要はないのです。あなたを消耗させる人には意識的になるべく会わないようにしたり、その人の行動に対して、反応しないようにしましょう。

②一方的な期待の気持ちを手放す

また、人が疲れる時に「期待を裏切られた時」というのがあります。

たとえば、仕事で部下に「これやっておいてね！」と言ったのに、やってくれていなかったとします。そういう時に人は「何でやってくれなかったの！？」と感情的になり、疲れるわけですね。

ですから、そもそも一方的な期待はなるべくしないようにして、「じゃあ、どういう言い方にすればやってくれるようになるのかな？」と考えるなど、感情的にならないように意識しましょう。

③「この人は、どういう部分を成長させてくれようとしているのか？」と考える

どうしても、特定の人とはなかなか距離を取るのが難しい場合もあるでしょう。

そういう時は、「この人は私のどういう部分を成長させようとしてくれるのか？」と考えてみます。たとえば高圧的な人がいて、なかなか距離を取るのが難しい場合に、「この人相手に自己主張をしっかりすることで、苦手を克服できるかもしれない」というように、自分を成長させてくれる人と考え直すようなイメージです。

ワーク21

身近な人間関係で消耗しないための対処法を考えるワーク

身近な人間関係で消耗しないために、自分は何をすればいいと思いますか？　p.87～88の①②③を参考にして考えてみましょう。

罪悪感を小さくする

1.「相手が嫌な気持ちを抱くのでは……」という感情

もう１つ、自分を消耗させる大きな感情の１つに「**罪悪感**」というものがあります。

ここでいう「罪悪感」というのはたとえば、嫌な人との距離を取るということを考えた時に、「でも、いきなり連絡を取らなくなったら、嫌な気持ちを抱くんじゃ……。なんだか申し訳ない」というような、他人に対する「申し訳ない」という類の感情ですね。

他にも会食恐怖症の方の場合であれば、「ごはんを楽しめない私と食事に行っても、相手がつまらないんじゃないか……」みたいに考えるかもしれませんが、これも「罪悪感」の一種です。

そして、この罪悪感があると、人はすごくモヤモヤして疲れたり、変わるための行動に踏み切れないということが起きます。ですから、罪悪感を減らしていくことも、克服の環境を整えることはもちろん、あなたの人生を豊かにしていくためにとても大切です。

2.「すみません」と、言いすぎていませんか？

そうは書きましたが、実は私自身も、元々はこういった「罪悪感」が大きくて悩んでいました。

具体的には、「あの人に嫌な思いをさせたのでは……」と、実際はどうかわからないことに対して、ずーっと悩んで夜も眠れないこともありました。

また、「すみません」や「申し訳ありません」などと、相手に謝罪を要求されていないにもかかわらず言ってしまう癖もできていたのです。

たとえば、締め切りのある仕事に対して、締め切りの当日に間に合わせたということがあった時でも、「〆切ギリギリになって“申し訳ありません”」と、しっかり約束は果たせているはずなのにもかかわらず、謝っていたのです。

そういったことに気づいてから、私はなるべく「すみません」などと、言いすぎないように意識するようにしました。最初はやはり口癖のように言ってしまうのですが、次第に減っていきました。

すると、誰かが「すみません」と言うたびに、「そんなに謝らなくてもいいのになぁ」と感じるようになったり、「いえいえ大丈夫ですよ」などと、フォローするのが面倒に感じるようになったのです。

そう。実は「**過剰な謝罪**」は、相手に「大丈夫ですよ」という、余計なフォローをさせることに、時間やエネルギーを使わせてしまう行為なのです。

実際、前に私の講演会を聞いてくれていたとある女性の方から「お母さんが何かあるごとに“ごめんね”と謝ってくるのですが、それをいちいちフォローするのが面倒です。どうすればよいのでしょうか？」という質問をいただいたことがあります。

もちろん、相手に謝罪を要求されたケースなどでは「すみません」と謝罪する潔さは大切です。しかし、それ以外の過剰で不要な「すみません」は減らしていくようにしましょう。そうすることで自分の中の「罪悪感」は少しずつ小さくなっていきます。

罪悪感を小さくする練習

日常の中で、過剰な「すみません」を減らすように意識しよう。

簡単にできる毎日の行動でフローに過ごす

1. 毎日の中でリセットする習慣を持つ

ここでは、フローで過ごせるようになるための簡単な「**行動習慣**」についてを扱っていきたいと思います。

一般的にフローで過ごすために大切だと言われている行動の習慣は、**適度な運動、質の高い睡眠、体に良い食事**といったところです。

また、最近ではデジタル依存症（スマホやSNSが気になるなど）や、その予備軍の方が多いと言われていて、それが脳に悪影響を及ぼし、ノンフローになっているという論文・研究結果も多くあります。私自身も、意識的にデジタル機器を使う時間を減らしてから、毎日の生活の質が確実に上がった時間があるので、こちらはその通りだと思います。

やはり、それらの行動習慣を意識することはとても大切で、確実にあなたの日々の状態と大きな関わりがあると言えるでしょう。これらに関しては、たくさんの質の良い類書がありますので、詳しくはそれらに譲りたいと思いますが、その中でも「これだけは今日からやってほしい」というものがあるので、ここではそれについて紹介します。

それが何かというと、「**半身浴**」です。

2. 1日10分の半身浴でリセット

お風呂の気持ち良さは、誰も感じやすいと思います。たとえば、誰でも温泉に入った時は「ふぅ～」っと、深い気持ち良さを感じられるはずです。

ですから、入浴の習慣を持つことで、半ば強制的に毎日の中で「リラックスタイム」を設けることができます。また、半身浴をすることで、自律神経が整うので、感情的にも落ち着くことができます。

半身浴の基本は、体に負担をかけないためにも、お湯の高さは心臓よりも下にしましょう。お湯の温度はよく 38 度前後が良いと言われたりしますが、家の給湯器によって実際の温度は変わるので、10 ～ 15 分入っていても、のぼせない温度に調整しましょう。

また、バスソルトや日本酒をコップ一杯程度入れると、血の巡りが良くなりさらなる代謝効果があるとも言われていますので、ご自身がより楽しめるように工夫されるのが良いと思います。

入浴の最中は、なるべく良いイメージで過ごすことも大切です。具体的には、今日あった良かったことを振り返る時間にしたり、「将来、こうなったら良いなぁ」など、未来への良いイメージで頭をいっぱいにしたりなどですね。

お湯から出る際は、今日１日の疲れを外に出すイメージで、体を内側から外側へと撫でるようにマッサージしてあげると、さらにスッキリすると思いますので、こちらもぜひやってみてください。

フロー習慣を身につける練習①

半身浴を今日からはじめてみよう。

3. 鼻うがいでモヤモヤをリセット！

そしてもう１つオススメなのは、「**鼻うがい**」をすることです。鼻うがいをすることで、モヤモヤとした感情を一瞬でリセットできるようになります。実際、ヨガの世界では浄化法の１つとしても有名です。気持ち面ではなく、鼻通りなどの面からもスッキリすることで、酸素の吸入量も上がり頭もよく働くようになり、睡眠の質も上がります。

ここで、「でも、鼻うがいって痛そう！」と思われる方もいるかもしれません。確かに、子どもの頃にプールの授業でうっかり鼻から水が入ると、ツーンとして痛かった記憶を持つ人が多いので、そう感じる気持ちはわかります。ですが、鼻うがいの場合は、生理食塩水（塩分濃度が0.9%、つまり、水１リットルに対して塩9gを溶かした水）を使うので、鼻から通しても全く痛くありません。むしろ、スッキリして気持ち良いです。

私自身も１回２リットル（片鼻１リットルずつ）の鼻うがいを毎日の習慣にしていますが、ものすごくオススメの習慣ですので、ぜひやってみてください。

不安と冷えには関係がある？

1. 秋になると、急に不安や寂しさを感じませんか？

前のページに関連することとして、人をノンフローにしてしまう要因の１つである、「冷え」についても扱っていきたいと思います。

人は「冷え」を感じると、不安が大きくなると言われています。なぜなら、人類の歴史には「氷河期」を経験した時期があるからです。つまり「寒い」＝「命の危険を感じる不安要素」という思考プログラムが、遺伝子レベルで組み込まれているのです。

たとえば、秋口になるとなぜかノスタルジックになり、人恋しくなったり、寂しさを感じたり、不安な気持ちが込み上げてきたりなどの経験をしたことはありませんか？

これは、夏の暑い時期を経験して、熱を体内から放出しやすい体の状態になっているのにも関わらず、秋になり急に気温が下がることで、寒さをより感じやすい状態になっているからです。

つまり、寒さや冷えというのは、実は人にとって大きな不安要素になります。普段から体が冷えないように注意しましょう。

そのためにも、p.92でお伝えした「半身浴」の習慣はオススメですし、夏場になると、冷房をつけっぱなしにして寝る方も多いと思います。そういった方の場合は、朝に「足湯」をするのもオススメです。

2. 体を冷やさないように注意しよう

そして、基本的にはまず足が冷えないように注意します。

なぜなら、子どもの頃の理科の授業で習ったように、暖かい空気は上にいき、冷たい空気は下にいくからです。これは体内でも一緒ですので、足を温めることで、体の血の巡りが良くなり、調子も整っていきます。

そのためにオススメなのは、靴下を重ね履きすることです。具体的には１枚目には、綿やシルク素材の靴下を履き、２枚目にはウールの靴下を履きます。そうすることで、１枚目で汗を吸収し、２枚目で熱を逃さないようになり、足元から暖かくすることができます。化学繊維がメインの靴下には、あまり保温効果はありませんので、天然素材の靴下を履くようにしましょう。

「えぇ、靴下を重ねばきなんて、ダサい！」と感じる方もいるかもしれませんが、実際にやってみると驚くほど、毎日の気持ちが落ち着くことを実感できるはずです。

また、それ以外の部分ではなるべく、太い血管が通っている首、手首、足首を温めるようにしましょう。ここを温めることで、全身に暖かさがいきわたります。

「冷え」があるだけで、人は不安になったり、ピリピリしやすくなったりします。普段からなるべく身体を温め、冷やさないようにするだけでも、日常の不安感には大きな違いが出てきますよ。

フロー習慣を身につける練習②

足元からの「冷え」に注意して１日を過ごしてみよう。

第6章

克服した人は何をどう意識していったのか？

会食恐怖症を克服された方の声

この章では、私のサポートを受けて、実際に会食恐怖症を克服された方が、どのような行動や意識で過ごされていったのかについてお伝えしていきます。

「食事に対する予期不安で、動悸や吐き気がひどかった」（30代女性）

まずは、30代女性の方です。この方は、いろんなことに敏感で緊張しやすく、どこに行っても誰と会っても、不安と嘔吐への恐怖やパニック発作が酷かったと言います。

外食機会では、「不安でいっぱいになり、お店に入る前から緊張して、動悸、吐き気がしていました。また、特に人に緊張しやすいので、2人で食事に行くのもかなり苦手で、人とのコミュニケーションに自信がなく、どう思われているかが気になり疲れてしまう」とも言っていました。

さて、この方はどのように克服していったのでしょうか？

①克服のために練習したこと

「実際に練習したこととしては、山口さんの相談会などで出会った同じ症状の人や、会食が苦手だと打ち明けた人と、個室やあまり人のいないお店・時間で食事する練習をしました。特に意識していたのは、“とにかく少しでも落ち着けるような場所”から挑戦し、そこから

少しずつステップアップしていったことです。時々、調子が悪くなることもありましたが、まわりに理解されているという安心感があったので、前向きに練習できました」

やはり、最初は低いハードルのところから、ステップアップをしていくことが大切ですね。

②考え方の部分で意識をしたこと

「食事前の予期不安が大きく、パニック、嘔吐恐怖と膨らむばかりだったので、不安でいっぱいになる前に“不安でも大丈夫なんだ”と、心の中で自分に言い聞かせることを意識していました。それを何回も繰り返すことで予期不安も減少し、“実際は何も怖いことは起こらない”ということがわかると、パニックや嘔吐恐怖がなくなっていきました」

不安じゃいけないと思えば思うほど、不安になってしまうので「不安でも大丈夫」と受け入れることは大切です。

③日常から意識したこと

「自分の感情に対して、否定しないという感じです。自己対話をする時に“そうだよね！”と自分の出てくる感情や言葉に対して共感するようにしています。そうすると小さいことでクヨクヨして引きずることも減りました。また、親に言いたいことを言うようにしたとこ

ろ、親と良い距離感で付き合えるようになり、自分のやりたいこともわかるようになりました。また、コミュニケーションが苦手なことを山口さんに相談したところ、“相手の話を聞いたり、質問したりするだけじゃなくて、自分の情報（話したいこと）を話すと、相手もあなたのことがわかって会話がスムーズになる”と言われて、それを実践してから会話が楽しくなり人とのコミュニケーションに自信がもてるようになりました」

親との関係はとても重要ですから、親に対して言いたいことを伝えるのは大切です。また、コミュニケーションが苦手な方の場合の盲点として「自分の話をしない」ということがあります。自分について話さなければ、相手もどんな話をしたら良いかわからないので、会話が盛り上がらないということが起きます。なので、自分のことを相手に伝えるという意識は大切です。

「いろんな方が山口さんに相談しても一緒に道を歩んでくれて、認めてくれる。理解しようとしてくれているという印象で、もっと自分は素晴らしい人間なんだと認めていいんだよと言ってくれる。学びだけでなくいろいろな分野で人の見方や自分の見方を教えてくれたことはとても勉強になりました」

「“女かよ！”と言われて傷ついていた」（20代男性）

次は20代の男性の方です。

彼が一番酷かったのは大学を卒業した頃で、辛かったエピソードを2つ挙げてくれました。

「1つ目は姉の結婚披露宴での会食です。新郎のご家族の方々と初めてお会いするということもあり、かなり緊張していました。結果的にすぐ気持ち悪くなってしまい、ほぼ何も食べられずに席を外し続けていました。
2つ目は働き出してすぐに同期と昼食に行った時のことです。会社の近くの中華屋に行ったのですが、とてもボリューミーなお店でした。なんとか食べやすそうなものを頼んだのですが、この時もすぐ気持ち悪くなってしまってほぼ食べられなかったです。
それを見ていた同期に“女かよ！（笑）”と笑われてしまい、冗談とわかりつつも傷つきました。
自己分析ですが、“目上の人や初対面の人、女性など、緊張しやすい相手”、“大盛りの定食など、見た目で圧倒されてしまう”などの要素で不安が大きくなってしまうようでした」

①克服のために練習したこと

「一人で積極的に外食していました。調子が良い時はあえて混んでいるお店に行ってみたり、多めに注文して

みたり、ということを試していました。また、山口さんの会で出会った、同じく会食恐怖に悩む仲間の方々と一緒にご飯を食べに行くのも効果的でした。同じように悩んでいることをお互いが理解しているので、“もし食べられなくても気を遣われたり、変に思われたりしない”という安心を持った上で練習に励むことができ、結果的に普通に食べられることがほとんどでした。一緒に会食に行く機会がそれほどなかったとしても、自分と同じ悩みを抱えている人がいるということだけでも、とても助けられました」

「一人での外食はできる！」という方でも、この方のようにハードルを自分で調整することによって、克服につながる効果の高い練習をすることは可能です。

②考え方の部分で意識をしたこと

「“いつ誰とでもご飯を完食できる＝会食恐怖の克服”という考えを少しずつ改めて、“体調が悪い時も不安になる時も食べられない時もあるかもしれないけど、それでも日常生活が送れているから大丈夫”という方向に持っていけるように意識していたのがよかったです。また、“練習をしたからといって、右肩上がりで良くなるわけではなく、波打つように良くなっていく”ということを知って、焦らなくなりました。他にも、“食べられるかどうかは関係なく、会食に挑戦すること自体がすごい”など、自己評価の基準を変えるようにしてから

調子が上がっていきました」

人生を過ごしていれば、調子が悪い時というのは誰でもあるものです。その時に「調子が悪いからダメ」とジャッジをしてしまうと、さらに調子は崩れていってしまいますから、「こういう時もある」くらいに考えられるようになることは大切だと思います。

③日常から意識したこと

「湯船に浸かることを毎日の習慣にしていました。また、自分が楽しく会食できているイメージトレーニングもしていました。他にも“その日にあった良いことを３つ書き出す”ということを今でも続けています」

半身浴などはすぐできるので必ず習慣にして欲しいですし、その日にあった良いことを書き出すことで、自分の脳が「良いことを自然と探す脳」になっていくので、すごく良い習慣だと思います。

「最近は上司とのコース料理など、緊張しやすい会食でも平気で過ごせるようになりました。どんなことを相談してもまず否定せず受け入れてくださり、個人にあったアドバイスをいただけることにとても救われています。“会食恐怖を克服したい”という思いをもとに山口さんに出会いましたが、実際にはそれ以外の相談にも乗っていただき、自分の人生について考えるまでになりました」

「幼い頃から家族との外食でも気持ち悪くなっていた」（50代女性）

次は50代の女性の方です。

この方は、幼い頃から両親とでさえ外食に行っても必ず気持ち悪くなってしまい、ご飯が食べられない子だったと言います。

「一番ひどかったのは会社で定期的に上司や先輩方との昼食会があり、いつも気持ち悪くなってしまい一口も食べられず、席を立つわけにもいかず毎回辛い思いをしていました。
シチュエーション的に苦手なのは、かしこまったレストランで目上の方や緊張する相手との外食で、かしこまったレストランでは仲のいい友達とでも何も食べられませんでした」

①克服のために練習したこと

「仲のいい友達と、肩肘張らない居酒屋の個室から始めました。次第に、慣れてきたら少しお洒落なカフェの窓際や壁側に向いて座るようにしました。食べる物も無理をせずに、友達とシェアして食べられそうな物だけ食べるようにしました。そうしていくと、少しずつ個室じゃなくても入れるようになったので、一人前を注文して残すという練習もしました。
まとめると、会食自体を避けがちだったので、まずは行けそうな会食から回数を増やすこと。そして、食べ

る食べないに関係なく最初から残すつもりで行くことを意識して良くなっていきました」

やはり、無理せずスモールステップで練習することや、残すつもりで会食に行くことは大切ですね。

②考え方の部分で意識をしたこと

「考え方の部分では主に３つ意識しました。1. “不安になってもいい”と思うようにすること。2. その場の雰囲気やおしゃべりを楽しむこと。3. 人の話をじっくり聞くこと、です」

不安になってはいけないと思えば思うほど、不安について考えることになります。会話に意識を向けるのも、「食べない自分がどう思われているか？」などと考えないようになるので、とても良いですね。

③日常から意識したこと

「日常でも意識的に、不安や緊張している自分を受け入れ認めるようにしました。ネガティブなことを考えてしまいがちだったので、ネガティブな脳内会話を続けないようにすること。予期不安もあったので、瞑想してよい会食に対するイメージを作ること、また、鼻うがいを毎日することで気分的に落ち込んで引きずることもなくなりました」

鼻うがいはやはりオススメの習慣で、毎日やることで気分的にスッキりしていきます。

「小さい頃から苦しんでいた“食べられるかどうか”が気になならなくなりました。誰にも話せなかった悩みも、なりふり構わず山口さんに話すことで的確な解決策を導き出してくれたことにびっくりしました！　ありがとうございます」

「誰かと外食に行くと、だんだん気分が悪くなる」（40代男性）

次は40代の男性の方です。

この方は家族との外食でも気持ち悪くなることがあったそうです。また、会社の飲み会ではあまり好きではないアルコール類を、周りに合わせて無理に飲んでいるなどのこともありました。

「自分の場合、誰かと外食に行くと、だんだん気分が悪くなって、食が進まなくなっていきました。一番ひどい時は、職場の同僚とのランチや家族との外食の時でさえ症状が出るようになり、外食することが怖かったです」

①克服のために練習したこと

「食が進まなければ、無理に全部食べようとせず、積極的に残すようにしました。また、気分が悪くなると自分に意識が集中しがちなので、同席相手の話に意識を

向けるようにもしました」

積極的に残すようにしたり、相手の話に意識を向けたりなど、いろいろ工夫されたことが良かったようですね。

②考え方の部分で意識をしたこと

「一番効果があったのはジャッジしないようにすることです。残してはいけないという意識や、美味しく食べなきゃいけないという固定観念を、“残してもいいし、美味しく食べなくてもいい”というようにしました。どちらかというと真面目な性格だったこともあり、必要以上に自分を縛って、苦しめていたことに気がつきました」

“〜ではいけない”を“〜でもいい”というように、考え方を変えるのは、やはりとても大切です。

③日常から意識したこと

「人の意見や世間体よりも、なるべく自分がこうしたい！　こうしたほうが心地よい！という気持ちを大事に優先するよう心がけて過ごすようにしています」

自分を満たせているから、本当の意味でも相手を満たせるのだと思います。自分の気持ちに素直に生きることは、とても大切ですね。

「小さなことであまり悩まなくなり、いつの間にか会食

の席も大丈夫になりました。さまざまなアプローチ方法を教えていただきましたが、山口さんご自身も実際に経験されていることなので、説得力がありとてもわかりやすかったです。教わったことは、会食の時だけでなく、仕事や人間関係を改善することにも役立ちました」

「ごはんに関する会話だけでも、動悸がしていた」（20代女性）

最後は20代の女性の方です。

この方は、お友達との「○○のお店美味しいから今度行こう！」というごはんの会話になるだけで動悸がひどく、誘われても断ることが多かったと言います。

「食事に行くことになっても予期不安になって、気持ち悪くなったらどうしよう、食べられなかったらどうしよう、と予定日が近づくにつれて不安が大きくなり、当日もドキドキしながら会う感じで食事が始まっても喉が詰まって食べ物が喉を通らず、お腹に違和感がありムカムカして、ひどい時には嗚咽などもありました。その時に友達から言われる“全然食べてないじゃん！”という言葉がとても辛かったです」

①克服のために練習したこと

「山口さんからアドバイスをもらって、会食のハードル

を少しずつ上げていきました。まず１人でも入れそうなお店に入り、１人で食事する。次に信頼できる人に頼んで一緒に食事する。誘われたら練習だと思いできるだけ行く。普段あまり行かない人を誘って食事に行く……というように、できるところから次第に、ステップアップして練習していきました」

やはりここでも、スモールステップで練習されたことが功を奏したようです。

②考え方の部分で意識をしたこと

「いつも私は考え方がネガティブになっていました。“全部食べられなかったらどうしよう”、“気持ち悪くなったらどうしよう”、“こんな自分は変に思われてるよな”など、不安な気持ちが常にあったように思います。山口さん曰く“意識的にでも前向きな考え方をするのは大事だよ”とのことだったので、できるかなと思いながらまずはやってみようと思いました。

日々過ごす中で不安な気持ちやネガティブな気持ちになった時、心の中で“今、不安になっているなー”とか“こんな自分はダメだと思っている”と今の自分の気持ちを呟いてまず、不安やネガティブな気持ちを受け入れて、その後“不安でも大丈夫だよー”、“ダメじゃないよ。私にも価値があるんだよー”と、前向きな考えを最初は難しかったけど意識的にやっていきました。

そしてもうひとつアドバイスしてもらったのは、“自分を大切な人のように扱うこと”です！　もし大切な人がこうなっていたらこうやって言葉をかけるだろうなと思うことを自分自身にやさしく心の中で声をかけていきました。そうすることで私は徐々に前向きな考え方ができるようになっていきました」

元々は前向きな人だから、前向きな考え方ができるのではありません。前向きに考える練習をしていくうちに、だんだん前向きに考えられるようになっていくのです。

③日常から意識したこと

「私は一人暮らしなので、１人になる時間が多く、その時間が特に不安な気持ちになりやすかったです。なので、なるべくどこか出掛けるなど、不安な気持ちを少しでも減らそうとしていました。
また、お風呂もいつもシャワーでしたが、ゆっくりリラックスして浴槽に浸かるようにしました。
あと、（少し恥ずかしいですが）、鏡の前で、“私は私が大好きです！”みたいな前向きな言葉を口に出して言うということもしていました」

日常から「変わろう」と、ものすごく前向きに取り組まれたんだなぁということが伝わりますね。

「おかげさまで、不安でしかなかった会食が不安ではな

くなりました。また、不安になっても大丈夫だし、食べられなくても大丈夫と思えるようになりました。昔は“また食べられなかった……”と、すごく落ち込んでいて何日もネガティブでしたが、落ち込んだことに対して回復するのも早くなったし、今は会話や雰囲気など違うところに焦点を当てることができてリラックスして食事ができています」

さて、たくさんの方の克服への取り組みをご覧いただきましたが、いかがでしたでしょうか？　この方々は決して、特別なわけではありません。

みなさん、「本当に良くなるのかな……」、「ずっとこのままだったらどうしよう……」、「もう諦めたほうが楽なんじゃないか……」。そのような不安いっぱいの中で、私のアドバイスを実行していただきました。

そしてこれは、私のアドバイスが特別すごいわけではありません。この方々が自分自身の良くなる未来を信じたからこその結果なのです。

あなたも自分の良くなる未来を信じた上で、本書の内容を実践し、克服に役立てていただければ幸いに思います。

おわりに

会食恐怖症に今現在悩まれている方は、「なんで私だけこんなことに悩んでいるんだろう……」と、感じているかもしれません。

「会食恐怖症さえなければ……」と、思うこともあるかもしれないし、そう思うことが決して悪いわけでもありません。

本書で紹介したアプローチは、会食恐怖症を良くしていくことはもちろんですが、あなたのこれからの人生を良くしていくためのものが多く紹介されています。

本書で紹介したアプローチに取り組む一番のコツは、完璧主義にならずに、できそうなところから、楽しみながら実践することだと思います。

そして、「会食恐怖症を克服したから人生が今より楽しめるようになる」というよりは、克服する過程で自分と向き合い、毎日がより良くなっていくからこそ、人生が楽しくなるのではないでしょうか。

本書がそのようなきっかけになれば、幸いに思います。

それでは、最後までお読みいただき、ありがとうございました。

たくさんの方が、より良い人生を歩めますように。

2020年1月

山口健太

参考図書

田島治『社会不安障害―社交恐怖の病理を解く』(筑摩書房、2008年)

山口健太『会食恐怖症を卒業するために私たちがやってきたこと』(内外出版社、2018年)

ギャビン・アンドリュース、ロッコ・クリーノ、リサ・ランプ 他(著)、古川寿亮(翻訳)『不安障害の認知行動療法〈2〉社会恐怖―不安障害から回復するための治療者向けガイドと患者さん向けマニュアル』(星和書店、2004年)

貝谷久宣(監修)、野呂浩史(編集)『嘔吐恐怖症』(金剛出版、2013年)

貝谷久宣(監修)『社交不安症がよくわかる本(健康ライブラリーイラスト版)』(講談社、2017年)

神田昌典『ストーリー思考「フューチャーマッピング」で隠れた才能が目覚める』(ダイヤモンド社、2014年)

ひすいこたろう、大嶋啓介『前祝いの法則』(フォレスト出版、2018年)

クラウス・ベルンハルト(著)、平野卿子(翻訳)『敏感すぎるあなたへ 緊張、不安、パニックは自分で断ち切れる』(CCCメディアハウス、2018年)

北西憲二、中村敬(編集)『森田療法で読む社会不安障害とひきこもり』(白揚社、2007年)

[著者略歴]

山口健太（やまぐち　けんた）

一般社団法人日本会食恐怖症克服支援協会代表理事。

岩手県盛岡市出身。2017年5月、一般社団法人日本会食恐怖症克服支援協会（アドバイザー：田島治・杏林大学名誉教授）を設立し、代表理事を務める。薬を使わずに「会食恐怖症」を克服した自身の経験を生かし、会食恐怖症に悩む人へのカウンセリングを行っている。相談実件数は延べ3,000人以上。学校や保育所への給食指導コンサルティング活動、食べない子に悩む保護者の食育相談や、それをテーマにした講演・研修も行う。著書に『会食恐怖症を卒業するために私たちがやってきたこと』（内外出版社）、『食べない子が変わる魔法の言葉』（辰巳出版）など。

会食恐怖症が治るノート

2020年2月22日　初版第1刷発行

著　者　山口健太
発行者　石澤雄司
発行所　株式会社星和書店
〒168-0074　東京都杉並区上高井戸1-2-5
電話　03（3329）0031（営業部）／03（3329）0033（編集部）
FAX　03（5374）7186（営業部）／03（5374）7185（編集部）
http://www.seiwa-pb.co.jp

印刷・製本　株式会社光邦

ISBN978-4-7911-1046-9